新・大学でなにを学ぶか

上田紀行 編著

岩波ジュニア新書 912

はじめに

「大学ってどんなところだろう?」「何を学べるのだろう?」

人生の大切な四年間を過ごす場である大学。でもその意味を考えている人はあんまり多くないかもしれません。「友だちもみんな行くから」とか、「それ以外に特にやりたいことも見つかってないから」とか、そのくらいの気持ちで進学を考えている人もいることでしょう。何を隠そう、この本の編者である私も、自分を振り返ってみれば、大学に行くことの意味をそんなに深く考えていたわけでもないのです。

だからいま、こうやってこの本を手に取っている皆さんはとても素晴らしい!

著者が最初から読者の皆さんを誉《ほ》めるというのも珍しいかもしれませんが、しかしそうやって「私は知りたい!」「私は考えたい!」と思うこと、それが大学で学ぶことの、そしてこれからの人生の出発点になるのです。

大学での学びは高校までの学びとは少し違います。もちろん「私は知りたい！」という好奇心に満ちた人は小学校時代から高校時代までにもたくさんいたことでしょう。でも高校までの勉強はどうしても「テストでいい点を取る」ことが気になり、その最終目標としては「志望する大学受験に合格する」というところに目標が置かれがちだったと思います。

そうやって勉強を積み重ねていくことは、皆さんの学力を高める上でとても大切なことです。でも大学での学びはそれだけではありません。大学でもテストはありますが、それでいい点数を取って単位を取得することだけが大学での学びではないのです。

高校までの学びが「勉強」であるとすれば、大学で加わるのは「探究」です。「勉強」はどこかテストの匂いがしますね。テストでいい点数を取る、つまり出された問題が解けるようにするという勉強です。その問題には「正解」があり、その正解を答えればいい点数が取れます。

ところが「探究」は違います。例えば生きるとはいかなるものなのかとか、死とはいかなるものなのかといった、人間にとって根本的な問いについて、大昔からたくさんの哲学者や賢人たちが真剣に考え続けてきましたが、そこにはこれだけが正しいという答えも結論もありません。ならば考えても無駄なのかといえば、けっしてそんなことはありません。そのことを探究することによって、私たちの人生は深まり、豊かになっていきます。

もうひとつ、大学での学びで大切なのは、勉強しながら、探究しながら、ひとりひとりが「思い」に出会っていく、「思い」を育んでいくということでしょう。あなたが何を大切にして生きていくのかという「思い」、これからどのように生きていくのかという「思い」、世界をどのようにしていきたいのかという「思い」、そういったあなたの中から湧き上がってくる「思い」に出会う場でもあるのです。

多くの人たちは大学卒業後に社会人となるでしょう。その時に「思い」がある人とない人では人生のありかたが変わってきます。「自分は何をやりたい人間なのか」という、自分を動かす原動力に気づいていないと、私たちは得てして他人からの評価だけを気にしがちです。他の人から与えられた課題をクリアして、いい評価を得る。しかしそれだけだと組織や社会の操り人形になってしまいます。現代社会のように評価のシステムが張りめぐらされた社会で、自分を見失ってしまうかもしれません。

だからこの本も、「思い」のこもったものにしました。これから皆さんには十三人のとびきり熱い「思い」に出会ってもらいたいと思います。この十三人は私が院長を務めている、東京工業大学リベラルアーツ研究教育院の先生方です。

「リベラルアーツ」は最近よく耳にする言葉になりました。私たちのリベラルアーツ研究教育院が東工大にできたのも二〇一六年のことです。ではリベラルアーツとはいったいどういうもので、どうしていま大きな注目を集めているのでしょうか。

リベラルアーツとは、かつて「教養」と言われていたものに近いのですが、それだけではありません。また大学で専門課程の前に学ぶ一般教養課程のことでもありません。また文系理系と学問を分けたときの文系の学問のことでもありません。

リベラルアーツとは、二つに分けるとリベラル＋アーツ。つまり「人間を自由にする技」ということです。リベラルアーツの起源は古代ギリシア・ローマ時代に遡《さかのぼ》ります。当時の共同体、ポリスには自由市民と奴隷《どれい》がいました。自由市民は自分の頭でものを考え、人間にとって世界にとって善《よ》きものを探究しながら、ポリスの未来を決めていく人たちです。一方の奴隷は自分の頭でものを考えたり探究したりする必要はなく、自由市民が考えたことを着実に実行する人たちです。そして自由市民が持つべき素養が「自由七科(文法学、修辞学、論理学、算術、幾何、天文学、音楽)」と呼ばれるリベラルアーツでした。

現代を生きる私たちは一見すると自由ですが、本当にそうでしょうか? 善きものを探究し、自分の頭でものを考えているでしょうか? そう考えると自信がなくなってきます。

他人からの評価を気にしすぎていては、奴隷になってしまいます。「レポートにはこんなことを書いておけばいい点数が取れるよ」と言われると、多くの学生たちは自分たちが本当に書きたいことよりも点数が取れる内容を自動的に選択し、みんな同じようなレポートを書いてしまいます。それは自由市民でしょうか、奴隷でしょうか? 給料をもらって会社で働いているサラリーマンにも奴隷的な部分があります。ブラック企業だと本当に奴隷になってしまいます。大学の院長である私だって、学長から決められた期日までにこの書類を書け、などと言われれば逆らえません。だから誰にでも奴隷的な部分はあるのです。

しかしその中でも「自由市民」的な部分を持たなければ、私たちは自分が誰だか分からなくなってしまいます。自分の人生を生きている実感がなくなってしまう。とても空しく悲しくなってしまうのです。何で自分が自分でなければいけないんだろう。自分の存在する意味はどこにあるんだろう。そして「他の人から言われたことだけをやっている」「他の人に評価されることだけをやる」という人たちの集まりから、世界を変えていく新たな発想や、未来を切り開いていく新たな行動は生まれてくるでしょうか？

高度にシステム化された現代社会における、人間への、社会へのそうした根本的な疑問から、いまリベラルアーツが注目されています。単に表面的な正解や、最も評価される最適解ではなく、幅広い教養を身につける、そして深く自分と向かい合うことが求められているのです。東工大でも、「志を育むリベラルアーツ教育」を旗頭《はたがしら》に、学士課程から博士課程までリベラルアーツ科目が必修科目になりました。入学生全員必修の「東工大立志プロジェクト」や、三年生が全員執筆する「教養卒論」などのユニークなカリキュラムが開始されたのです。

大学での学びは「探究すること」だと言いました。その探究のために大切なことを書いておきたいと思います。

それは「行動すること」と「耳を傾けること」です。

大学での学びは誰かから一方的に与えられるものではありません。教室で先生の言う「正しいこと」をできるだけ間違いなく吸収し、テストでそのとおりに解答を書く。もちろんそれが必要な科目もありますが、それだけでは大学の学びにはなりません。

「自分から行動を起こすこと」、それが必要です。それはそんなに難しいことではありません。大学を飛び出して映画を観る、博物館や美術館に行く。それも行動です。旅に出る、留学する、いろいろなイベントでいろんな人に出会う、それも行動です。どんな映画を観たらいいか分からないって？　でも映画を三十本でも観れば、だいたい自分はどんな映画が好きで、どんな映画が嫌いか、分かってきます。そうそう、読書も行動のひとつです。ここにいながら、別の時代を生きた人、別の地域に生きている人、そしてあなたの隣にいながら全く別の考えを持っている人、そしてあなたと心が通じ合う人、いろんな人や思想に出会えるのですから。そして教室の中でも行動はできます。疑問があれば先生にどんどん質問する、隣の人に話しかけてみる。そのことで世界はどんどん開けていくことでしょう。

そして「耳を傾けること」です。行動し、人と出会う、世界と出会う、そこから聞こえてくる声に耳を傾けてください。喜びの声、悲しみの声、憤りの声、会えて良かったね！という声、いろいろな声が聞こえてくることでしょう。その声によってあなたはとっても幸せになることもあれば、揺さぶられたり、嫌《いや》な気持ちになったり、葛藤《かっとう》したりもするでしょう。そんな自分の内側からの声にも耳を傾けてください。

行動し、新たな世界に出会い、そこで世界からの声に耳を傾け、自分自身からの声に耳を傾ける。そうやって私たちは自分の「思い」に出会っていくのです。

さて、皆さんは既に行動を始めています。この本を手に取り、これから十三人の熱い「思い」に出会おうとしています。ぜひ個性あるひとりひとりの先生方の世界に触れてみてください。

「正解はひとつ」ではありません。皆さんも、ひとりひとりが個性豊かな存在です。だから十三人の言葉に出会う中で、「そうそう、これは当たってるな！」とか「これはちょっと違うんじゃない？」とか、自由に頭を働かせてください。リベラルアーツ、人間を自由にする技の達人の先生方ですから、自分があなたにきっかけをもたらしたと思えば、それが共感であっても、ちょっと違うよ！という違和感であっても、うわあ、この人は私の「思い」に反応してくれたんだ！と嬉しくなるでしょう。

そう、大学は自由なところです。そして希望に満ちたところです。あなたが世界に出会い、自分自身に出会い、友人たちに出会い、先生たちに出会い、あなたが探究したいテーマに、人生の課題、「思い」に出会う場所です。

それでは皆さん、大学生になったつもりで、いっしょに様々な「思い」への旅に出発しましょう！

上田紀行

目次

What one learns at university

自ら問いを立てること

池上　彰

大学進学はお金がかかる

あなたはなぜ大学に進もうと考えているのでしょうか。他にも進路はあるのに。高校を卒業したら就職する。フリーターになる。専門学校に行く。自分で会社をつくる、つまり起業する。海外に放浪の旅に出る。

実にいろんな可能性があるのに、大学に進学すれば、それ以外の道をいったんはあきらめることになります。

これを経済学では「機会費用」といいます。あることを選択したことで、他の機会を逸《いっ》する。大学に進学することを選択すると、他の機会を逃すのです。その費用は、どれくらいでしょうか。

たとえば大学の学費。国公立と私立では大きな違いがありますが、ここは一年間で一〇〇万円だとしましょう。四年間で四〇〇万円です。ずいぶん費用がかかりますね。でも、かかった「費用」は、これだけではありません。進学せずに就職していれば、一年間に二五〇万円は稼げたでしょう。四年間なら一〇〇〇万円です。大学に進学することを選択したことで、あなたは一〇〇〇万円を得られる機会を放棄したのです。学費と合わせると、一四〇〇万円。大学進学の機会費用は、実に一四〇〇万円にもなるのです。

このように考えると、大学進学は高くつきます。「とりあえず大学にでも行っておこうか」などと考えていると、大変な金額の損失になるのです。

でも、大学で学んだことで、自分の将来が豊かになれば、機会費用は決して無駄になりません。むしろ「投資」と考えることもできます。

投資とは、初期に投入する資金を増やそうとすること。成功すれば、何倍にもなってお金が返ってきます。

大学を卒業したことで、いい就職ができ、高収入が得られれば、いずれ大学に進学したことで失った一四〇〇万円分は取り戻すことが可能になるのです。

これなら意味があること。まあ、こういう考え方もできますが、でも、大学に行くことをお金の面だけで考えるのは、ちょっと寂しい気がします。大学で学ぶことは、お金に還元するだけではないからです。

広い敷地は何のため？

大学生活を送るだけで、お金には換えられない貴重な経験をすることができると私は考えます。

まずは大学のキャンパス。高校の校舎や校庭とはずいぶん違いますね。キャンパスが郊外にあれば、緑に囲まれた広大な敷地が広がっているでしょう。気持ちがのびのびしませんか。広い世界の中に自分がいるのだという気分になるはずです。

一方、都会の中の狭いキャンパスという大学もあるでしょう。それでも高校よりは敷地が広いですね。ここでは、強い刺激を得られるはずです。キャンパスを一歩出ると、大都会。大勢の人が行き交い、書店やカフェなど、あなたの精神を刺激するものにあふれています。これも、高校までには体験できなかったことです。

大学の敷地は、どうして広いのか。それは、そこにいる学生諸君が精神の羽を広げ、自由に思索できる環境を確保しているからです。キャンパスの芝生に寝転んだり、ベンチに座ったり、学生食堂の片隅で友人と語らったり。そんな精神的余裕を与えてくれるために、それだけの敷地があるのです。

図書館に入ると、圧倒されるはずです。高校の図書館とは規模が違います。膨大《ぼうだい》な本の集積がある。大勢の学生が黙々と本を読んでいる。あるいはノートに何かを記している。シーンと静まり返った空間は、私たちの精神の居住まいを正してくれます。大量の本が、あなたに何かを語りかけてくるような気がしませんか。

図書館で本を読んでいるうちに寝てしまっても、自分が精神的に成長できたような気持ちになってしまいます。おっと、この部分は人によりけりかも知れませんが。

人間が精神的に成長するには、それなりの環境と時間が必要です。四年間あるいは大学院に行けば六年間、自分を見つめ直す時間が確保できる。これだけでも大学に行く価値はあるだろうと私は思っています。

検定済み教科書など存在しない

大学に行くと、文部科学省検定済み教科書は存在しません。小学校から高校までは、文部科学省が学習指導要領で、学ぶ内容を定めています。全国どこに行っても、たとえば中学二年の数学ではこれを教える、歴史ではこれを教えるという内容が決められているのです。これにより、日本全国どこに行っても、同じ水準の教育が受けられます。学力のレベルに大きな違いはありません。それどころか、日本の教育水準は世界に誇る高さになりました。イギリスやアメリカが学習指導要領を参考に、教育水準を定めたほどです。

この学習指導要領に基づいて教科書が執筆されます。さらに、その内容は文部科学省によってチェックされ、許可が出たものだけが教育現場で使われます。これが「教科書検定制度」です。

教科書は、その分野の専門家の先生たちが集まって執筆します。そこでは、「これは誰もが認めている事実」や「誰からも異論の出ない理論」が選ばれます。異論があるような理論は教科書に出ていないのです。

こういうプロセスを経ているので、教科書の内容は安心して勉強できます。教科書に基づいた先生の授業も、そのまま受け止めていいのです。

ところが、大学には検定済み教科書はありません。そもそも大学教育に関する学習指導要領もないのです。大学で教える内容は、各大学の裁量《さいりょう》に任されています。さらに各先生が教える内容を自由に決められます。ここが、大学の大学たるゆえんです。政府に指図されることなく、自由に教え、自由に研究できる場所だからです。

そこで先生たちは、独自にテキストを指定して講義をします。自分が書いた本を使うかも知れませんし、あえて自分の考えとは異なる著者の本を指定するかも知れません。

ということは、大学の講義で使用されるテキストは、「誰もが異論のない事実」が掲載されているとは限らないのです。むしろ学界の中では少数派に属する学者の理論かも知れません。

そうなると、先生の講義を聞いて一生懸命勉強しても、後になって、「あの先生の理論は間違いだったね」などとなる恐れもあります。

逆に先生が「この理論は私独自のもので、いまは学界で少数派だけどね」と言いながら教えてくれたことが、後に学界の主流の理論になる可能性もあります。

どうですか。一生懸命学んだことが、無駄になるかも知れないし、大きく花開くかも知れない。スリルとサスペンスに満ちていると思いませんか。これが大学なのです。

生徒ではない、学生だ

大学生は「生徒」ではありません。「学生」です。何が違うのか。

高校までは生徒でした。先生が間違いのないことを教えてくれ、あなたたちは、それをそのまま受け止めていればよかったからです。まさに「先生の徒(教え子)」です。

しかし、大学は違います。先生が教えていることは一〇〇パーセント間違いのないこと、とは言えないからです。先生の言うことを鵜呑《うの》みにせず、「本当かな」と自分の頭で考える。学生、まさに「自ら学ぶ者」なのです。

あなたが大学に進学したら、誇りを持って「私は学生です」と言いましょう。

「すべてを疑え」

大学で先生から教わることは、学界の中で主流ではないかも知れない。そうなると、教わる内容については、疑ってかかった方がいいかも知れません。

かつて私は大学の指導教授に「すべてを疑え」と叩き込まれました。どんなに著名な学者の理論であっても、ありがたがっていてはいけない。間違っているかも知れない。まずは疑ってかかることが必要だ、というものでした。

以来、私はこれを信条としています。このときの指導教授の話を疑ってみなかったのですね。

私は大学の講義でも学生諸君に「すべてを疑え」と話しています。

ただし、気をつけなければいけないのは、この姿勢は学問の場に限るということです。ふだんの生活でこういう態度を取ると、友人や恋人を失います。

友人や恋人は信じましょう。結果的に裏切られることがあるかも知れませんが、それも人生。その苦い経験を経て、人間は成長していくのです。

友人は信じ、学問の世界ではすべてを疑う。この姿勢を大切にしてください。

独学するしかなかった

私が大学に進学したのは一九六九年のこと。この年は、東京教育大学と東京大学の入学試験が中止になりました。

東京教育大学は筑波への移転計画に多くの学生が反対し、ストライキに入っていたからです。学生のストライキとは、学生が授業を一斉にボイコットすることです。長期間にわたって授業が行われませんでしたから、学生は進級できなくなります。それでは新入生を受け入れることはできない、というのが理由でした。結果、文学部・理学部・教育学部・農学部が入試中止になりました。体育学部はキャンパスが異なり、ストライキはしていなかったので、入試は予定通り実施されました。

その後、東京教育大学の授業は再開され、大学は筑波に移転。現在の筑波大学に改組されました。

続いて東京大学も入試が中止になりました。こちらは医学部のあり方をめぐって大学側を追及した学生たちが処分された際、人違いで処分を受けた学生がいたことから学生たちが憤激。抗議運動を始めると、大学が機動隊を導入して抑え込もうとしたために、全学ストライキに発展したのです。

こちらも、とても新入生を受け入れられないとして入試が中止になりました。入試直前での中止。受験生たちは右往左往です。思わぬ混乱に巻き込まれました。

その後、私が入った大学も、授業がたいして行われていない段階でストライキに入ってしまいます。東京教育大学や東京大学での混乱を見た当時の政府が、大学の管理を厳しくする法案を準備したことから、全国の大学生たちが、「大学の自主性を守れ」と主張してストライキに入ったからです。

授業がなければ、どうするか。自分で勉強するしかありません。あるいはクラスの仲間と読書会をして一緒に学びました。

いまから思うと、受身で先生から教えてもらうことがなかったことで、結果として自分で自ら学ぶという習慣が身につきました。

大学の通常の講義では、知識量の圧倒的な差から先生に議論を吹っかけることは不可能に近いのですが、読書会のメンバーなら、みんな同じレベル。本の内容について激論を交わします。結果として、議論の仕方も身につきました。

授業がないと、いいこともあるのだ、というのは冗談ですが、あながち間違ってもいないと思うのです。

「良き問い」を立てること

この本をわざわざ買い求めた(あるいは借りた)のですから、きっとあなたは真面目で学校の成績もいいのでしょう。

では、小中高校で「成績がいい」というのは、どんな児童生徒でしょうか。先生の質問を聞くと、すぐに先生が求めている答えを探って「良き答え」を出すタイプではないでしょうか。

こういう学校生活を送っていると、世の中には必ず「正解」があると思ってしまうようになります。

しかし、世の中には何が「正解」かわからないものは、いくらでもあります。たとえば、少子高齢化が進む中で、限られた国の予算は、高齢者のために使うべきか、子育て世代の若い人のために使うべきか。

世の中をここまで築き上げてきた先輩たちの苦労をねぎらうために、年金や医療費の面で高齢者を優遇するのは当然だという考え方もありますが、一方で、子育て世代を支援しなければ、子育てがしにくい社会となり、少子化は一段と進んでいくでしょう。さて、正解は何か。

簡単には答えが出てこないでしょう。世の中には「正解」が不明だったり、そもそも存在しなかったりすることがあるのです。

そうなると、「良き答え」を追い求めるのではなく、「良き問い」を立てる方が重要だということがわかるのではないでしょうか。たとえば「高齢者も子育て世代も安心して暮らせる社会とはどういうものか」という問いを立てるのです。そこから解決策を求めて、人々の知の探究が始まります。「良き問い」を立ててこそ、世の中は良くなっていく可能性が開けるのです。

そこでまずは、「どこの大学なら入れるか」という答えを探すのではなく、「大学で何を学ぶか」という問いを立てるところから始めてください。

What one learns at university

問いを発する存在になる

國分功一郎

変化した大学

日本の大学はこの四〇年でとても大きく変化しました。何よりも大きいのは、大学生になる人の数です。いま皆さんが手に取っているこの本、『新・大学でなにを学ぶか』の前身にあたる隅谷三喜男著『大学でなにを学ぶか』(岩波ジュニア新書)は今から約四〇年前の一九八一年に出版された本ですが、そこではこんな事実が紹介されています。

戦前の旧制高等学校・高等専門学校・大学への進学率は三パーセントに過ぎず、したがって旧制高等学校の学生などはエリート中のエリートだった。ところが、今日では——ということはつまり、一九八一年の段階では——三七~三八パーセントに達している。同世代の四割近くが大学生ということになれば、大学生はもはや特権的なエリートではない(三三~三四頁)。

この数値は今ではどうなっているかご存じですか。二〇〇九年に大学進学率が五〇パーセントを超えたことがニュースになりました。二〇一八年では五四・八パーセントに達しています。しかもこれは現役合格で大学に進学した人たちだけを対象とした数値です。浪人して大学に進学した人たちを計算に入れれば、数値はもっと高くなります。六割に近づくかもしれません。

著者の隅谷さんは、この変化が大学にマスプロ教育をもたらしたと言います。「マスプロ」とは「マスプロダクション」つまり大量生産のことです。大学の教員が、大学生の一人一人に目を配りながら彼らを優れた人材へと育て上げていくというかつての大学教育のあり方は失われ、一〇〇人以上も入る教室で、マイクを握った大学教員が、大勢の学生に向けて一方的に語りかける教育が当たり前になってしまったというわけです。

今この本を読んでいらっしゃる皆さんは、そのような大学教育のあり方が多少とも非難めいた口調で語られることに驚くかもしれません。教員が大教室で大人数に向けて語りかけるのが大学の講義ではないかと思われる方もいらっしゃるでしょう。実際、「マスプロ教育」という言葉自体、死語になっています。マスプロ教育が当たり前になってしまったからです。

私は大学で哲学を教えている大学教員で、教員歴は十数年といったところですが、ここで言われているようなマスプロ教育は私が教員になったときにはもう当たり前の光景でした。

私もそのようなマスプロ教育の中で教員として修行を積んできたわけです。

但し、隅谷さんはマスプロ教育をただ批判しているわけではありません。「エリートの大学には、エリートにふさわしい教育があったように、大衆の大学には、大衆にふさわしい教育があってもよいであろう」と書かれています(三六頁)。

「大衆」という言葉遣いに反発を覚える人もいるかもしれませんが、当時はむしろこの言葉に、多くの人びとに開かれているという肯定的な意味が込められていたことを忘れてはいけません。確かにマスプロ教育には質の低下といった深刻な問題がつきまとっていましたが、大学というそれまで閉じられていた象牙《ぞうげ》の塔(これも死語になりつつありますが、閉鎖社会としての大学を指す比喩《ひゆ》です)が多くの人びとに開かれたという意味では画期的なことであったのです。

思えば『大学でなにを学ぶか』という本が書かれなければならなかった理由もそこにあるでしょう。この本、実際に読んでみると分かるのですが、講義の実際から出席の取り方、学生のアルバイトに就職など、話題は実に多項目に及んでおり、さながら大学ガイドブックといった感じです。なぜそのようなガイドブックが必要になったのかといえば、大学とはどういうところなのかを知らない人たちが大学で学ぶようになったからです。かつて大学生になることができたエリートたちは、大学とはどういうところであり、どういうところでなければならないかを常識として共有していました。彼らに「大学でなにを学ぶか」などと教えてあげる必要はなかったわけです。

（とはいえ、戦前も既存のエリートだけが大学に行ったわけではありません。曲がりなりにも近代化を果たした日本では、確かに、実力さえあれば立身出世することが可能でした。かつて、大学とはどんなところなのかを広く社会に知らせるガイドブック的な役割を果たしていたのは、夏目漱石の小説『三四郎』でしょう。これは九州から出てきて東京の大学で学ぶ主人公、三四郎を巡る物語ですが、大学の講義や勉強の実際が非常に詳しく描かれています。因《ちな》みにこの小説、東京に向かう途中の名古屋で、三四郎が見ず知らずの女性と宿をともにするという、ある意味でとんでもないエピソードから始まるのですが、これも、「大学で学ぶために田舎から東京に行くとなにが起こるか分からないぞ！」という、大学のなんたるかを知らない人たちのためのガイドだったのかもしれません）。

大学について本はなにを伝えられるか

　すると、この『新・大学でなにを学ぶか』には、およそ四〇年前の一九八一年から更に変化した大学についての新しいガイドブックの役割が求められているのかもしれません。大学とはどういうところなのか、学生達はどんな生活をするのかといった情報を求めてこの本を手に取った方もいらっしゃるかもしれません。

　そういった方には申し訳ないのですが、私はこの本の役割はそのようなものではないと考えています。というのも、何よりもまず、そのような情報であれば、わざわざ本を手に取らなくても簡単にインターネットで入手できるからです。それは四〇年前では考えられないことでしたが、いまでは日常の風景になっています。もはや本がガイドの役割を果たす必要はないのです。むしろ本は、そうしたガイドブック的情報に溢《あふ》れたインターネット空間ではなかなか手に入れることのできない何かを提供しなければなりません。それはなんでしょうか。

　インターネットは刻一刻と変化する事態に対応することに秀でたメディアです。それに対して本は一度作ったらなかなか更新できません。本はそのようなリアルタイムに変化する物事を扱うメディアではないのです。インターネットが変化に対応するメディアであり、変化を取り扱うことを得意とするのだとしたら、本はそうではないもの、すなわち、変化しないものを取り扱うことを本務としているということができるのではないでしょうか。

インターネットを知り尽くしている皆さんには、大学についての変化する情報はインターネットでどしどし集めていただきたいと思います。それに対し、私が執筆するこの本のこの項目では、大学についての変化しないもの、あるいは変化すべきでないもののことを書いていきたいと思います。

学問を哲学から考える

大学について、時代がどう変化しようとも、変わることがないし、変わるべきでもないと言い切れるのは、それが学問の場だということです。大学は学問に、研究と教育という二つの仕方で関わっています。この四〇年間で確かに研究のあり方も教育のあり方も大きく変化しました。しかし、大学は研究と教育を行う学問の場であるという価値観は今も生きています。

　すると当然、こう尋ねたくなります――学問とはなんですか？　これは正面から答えるのがとても難しい問いです。この問いについていろいろな答えが出されてきていますが、どれが決定的であるとは言えませんし、そもそもこの問いへの答えは、答えている本人の学問観に基づかざるをえず、どうしても多種多様になってしまうからです。

　ですので、この問いに正面からではなく、斜めから取り組むことにしましょう。私が提案したいのは、私たちの知る学問はどうやって始まったのかを見ていくことで、学問において大切なことを確認していくというやり方です。このやり方で学問について考えていくとき、私の専門とする哲学が大いに役立ちます。というのも、いわゆる西洋の学問はいずれも哲学から始まっているからです。

　アリストテレスという古代ギリシアの哲学者がいます。彼は万学の祖と呼ばれていますが、それはなぜかというと、彼の著作が実に多くの事象を扱っているからです。そこには政治学や倫理学もあれば、天文学や生物学もあります。いまは数多くの学問分野が存在していますが、それらはいずれも、ちょうど成長して親元を離れる子どものように、哲学のもとから旅立っていった学問なのです。

分かりやすい例として経済学があります。経済学の創始者はアダム・スミスと言われていますが、彼はスコットランドのグラスゴー大学で道徳哲学を教える先生でした。その講義の一部が、いま経済学のもととされているのです。スミスは一八世紀の人ですから、経済学がかなり若い学問分野であることが分かります。経済学はいまや非常に大きな力を持った分野ですから、哲学という親元を離れたなかでも、特に出世した子どもと言うことができるでしょう。

哲学の始まりとしての驚き

哲学はどうやって始まったのでしょうか？　あるいは、哲学はどうやって始まるのでしょうか？　いま名前をあげたアリストテレスの師匠であるプラトンは、その著作によって、今日知られている哲学の基礎を作った人です。そのプラトンは——そして弟子のアリストテレスも——哲学の始まりとは驚きであると言っています。

たとえば、あまりにも雄大な自然の光景を前にして、どうしてこのような美しいものが存在しているのだろうかと言葉を失った経験はありませんか？　何億年の単位で語られる自然について知り、人間という存在のあまりの儚《はかな》さに思い至って、人間とはなんなのだろうかと考え込んでしまったことはありませんか？　ふと自分の人生について思い、人生にはどんな意味があるのだろうかと悩んでしまったことはありませんか？　身近な人を失い、死とはなんだろうかと呆然としてしまったことはありませんか？

こうした問いには答えがありません。より正確に言えば、人間の知性ではこうした根源的な問いに答えを出すことはできません。にもかかわらず、人間はしばしば答えのない問いに取《と》り憑《つ》かれます。プラトンの師匠であるソクラテスは「無知の知」で知られており、これは、「私は私が知らないということを知っている」という意味なのですが、ソクラテスがこれによって言いたかったのも、私たち人間にはどうにも振り払うことのできない無知が付きまとっているということです。

ではソクラテスは、人間は結局のところ無知であると確認しただけなのでしょうか。そうではありません。二〇世紀の哲学者ハンナ・アレントは、ソクラテスの無知の知を解釈して、こんなことを述べています。これは人間の無知という事実を確認しているのではない。何かに驚き、答えの出ない根源的な問いに付きまとわれながら、自らの無知を経験することで、「人間は問いを発する存在として自らを確立するのだ」(『政治の約束』ちくま学芸文庫、二〇一八年、九五頁)。

問いを発するというのは、自らが抱いた疑問にとことん付き合い、それを疑問のままにせず、疑問を解こうとする営みです。プラトンやアリストテレスは、この過程の最初にあるのが驚きだと言ったわけです。ただ難しいのは、その驚きを維持することです。人間はしばしばプラトンたちの言う驚きを感じることがありますが、なかなかそれを維持しようとはしません。多くの場合、それを忘れてしまいます。なぜなら疑問を抱き続けるのはある意味では苦しいことだからです。

しかし、多少とも苦しいこの経験は人間にとってかけがえのないものです。答えの出ない問いを抱き続け、それを解けないにもかかわらず解こうと思い続けることで、人間は、問うとはどういうことなのかを学びます。だからこそ、答えの出ない問いを経験することで、人間は答えの出る問いをも発することができるようになる。アレントはそのように続けています。アレントによれば、科学こそは答えの出る問いを扱うものであり、科学はその起源を哲学に負っているわけです。

ソリューション重視の問題点

科学を含めた現存する諸学問は哲学に起源を持つ。そして、その哲学の起源は驚きであり、その驚きは答えの出ない問いをもたらす。ならば、いかなる学問も、潜在的にこのような驚きの経験を起源に持っていると言えるのではないでしょうか。あるいは、いかなる学問に取り組むにあたっても、このような驚きと答えの出ない問いの経験が大切であると言えるのではないでしょうか。

現代のビジネスではソリューション(解決)ということがよく語られますが、実は学問の世界にもその波が押し寄せて来ています。何よりもソリューションを重視し、ソリューションをもたらさない学問を軽視する態度です。

もちろん問題の解決は大切です。たとえば、いま大変喧《かまびす》しく語られている環境問題。この問題を解決することは人類にとって喫緊の課題です。

しかし、解決とはなんでしょうか。解決とは問いを消すことです。もし環境問題が消えて無くなるなら、そんなにいいことはないでしょう。ですが、そのようなことがあり得るでしょうか。二酸化炭素排出の問題が解決されたとしましょう。その時、実はその解決策が別の領域で別の問題を生み出している、そういうことは考えられませんか。

問題には確かに一定の解決をもたらすことができます。しかし、問題が消えて無くなるということは滅多にありません。そしてなかなか消えて無くならない問題にずっと付き合うのは苦しいことです。もし私たちが答えの出ない問いにとことん付き合う経験を経ていなかったなら、環境問題についても一定の解決策を出すところで終わって、あとは問題から目を背《そむ》けてしまうかもしれません。アレントは、人間が答えの出ない問いを投げかける能力を失えば、答えの出る問いを発する能力をも失ってしまうと述べています。答えの出ない問いの経験がなければ、人間は、問いを発することそのものをやめてしまうかもしれないのです。

問いを発する存在になるための場

大学は学問の場であると述べました。そして学問の起源には、驚きと答えの出ない問いがあります。答えの出ない問いにずっと付き合うことは日常生活では極めて困難です。仕事をしていたならばなおさらでしょう。だからこそ、日常生活からは切り離され、ビジネスとは異なるやり方で維持される大学という場所が大切なのです。

大学では皆さんが答えの出ない問いに悩むことが許されます。そして大学で教えている専門家の先生たちは、それぞれの領域で、何らかの答えの出ない問いを経験しているはずです。講義でこれまでとは全く違う学問の話を聞き、皆さん自身も自分なりの答えの出ない問いを見出すかもしれません。そうした問いに取り憑かれ、答えは出ずとも悩まされること。それはソリューションこそもたらしませんが、皆さんの中に何にも代えがたい経験を残すのです。それは、ソクラテスやプラトンやアリストテレスたちが経験したものと本質的には変わりません。そして、この経験を経てはじめて、私たちは答えが出る問いをもうまく扱えるようになるわけです。

大学は皆さんにそのような経験を提供する場です。皆さんが問いを発する存在になるための場です。そこで過ごす時間を大切にしてもらいたいと思います。

What one learns at university

女子学生たちへ

伊藤亜紗

アメリカの大学の「景色」

こんにちは、伊藤亜紗です。私は「美学」という学問を専門とする研究者です。「美学」というのは、みなさんにとっては耳慣れない名称かもしれません。「美」という文字が入っているので美について研究しているのかと誤解されがちですが、実はそうではなく、人の「感じる」という働きを解明する哲学的な学問です。「感じる」は論理的な思考とは違って、ふわふわしていて言葉にしにくい。でも、それをあえて言葉を使って深掘りしようという、ちょっとひねくれた学問が美学という学問です。

美学が扱うのは、具体的には大きく分けて「芸術」と「感性」の二つです。私も、大学ではアートの授業を担当し、さらには目の見えない人や吃音《きつおん》のある人など障害を持つ人の感じ方について研究しています。最近では、目の見えない人といっしょにスポーツを観戦する方法を開発したりもしています。

さて、私はいまこの文章をアメリカのマサチューセッツ州ボストンで書いています。三か月前から半年の期限つきで東工大の仕事をいったん離れ、マサチューセッツ工科大学（MIT）に客員研究員として在籍しているのです。

MITは、世界の大学ランキングで常に一、二を争うトップレベルの大学です。基本的には理工系の大学ですが、人文系の研究も充実しており、人文系の教員だけでもノーベル賞受賞者が六人もいます。

MITのキャンパスにいるとまず驚くのは、女子学生の多さです。日本では理工系というと男子学生が多いイメージがありますが、MITではそんなことはありません。学部生では実に全体の四六パーセント、大学院生でも三六パーセントを女子学生が占めています（二〇一八年）。東工大の女子率は学部が一三パーセント、大学院が一八パーセントですから、これはもう「景色」が違います。

かく言う私も、もともとは理系の学部出身ですので、ずっと「少数派」として大学生活を送っていました。入試は工学部の建物で受験しましたが、トイレに行くためには隣の建物まで行かなければなりませんでしたし、入ってからもクラスに占める女子の割合は二割程度でした。

正直なところ、私はこれまで自分が女性であるということをそれほど重く考えてはいませんでした。でもアメリカで暮らすようになり、日本の状況は少し異常なのではないかと思うようになりました。つまり女の子が、たいていは無意識のうちに、自分の生き方の選択肢を狭《せば》めてしまうような雰囲気が日本にはあるのではないか。日本の女の子は、何となく空気を読んでしまって、のびのびできていないのではないか。

そこでこの章では、大学の一教員として、女の子を思い切り贔屓《ひいき》して、女の子の背中を思い切り押すようなメッセージをつづりたいと思います。女の子が、大学でなにを学ぶか、です。

もちろん、女の子の背中を押すために書かれているからといって、女の子にしか分からない内容にするつもりはありません。これからみなさんが生きていく世界がどのようなものかについても触れるつもりですし、男性だって、あるいはそれ以外の性の人やマイノリティの人、障害を持っている人だって、生きづらさを抱えることがあるでしょう。そういった人たちにも、以下のメッセージが届くといいなと思っています。

世界は書き込み可能である

大学で学ぼうとしているみなさんに私から伝えたいことは、一つです。それは、世界は書き込み可能(Writeable)であるという感覚を持ってほしい、ということです。「書き込み可能」とは「編集してよい」ということ。あなたの手によって、よりよく作り変えることが可能だということです。

たとえば、子供のころにこんな経験をしたことはないでしょうか。みんなでかくれんぼをしたい。でも一人だけ学年が下の子がいて、走るのが遅く、すぐにつかまってしまう。その子がかわいそうだし、遊びも盛りあがらない。

そんなとき、どうしたでしょうか。みんなで相談して、たとえばその子だけ、みんなより早めに逃げてよい、というハンディをつけたりしたのではないでしょうか。あるいは、二、三人のグループを作って、そのグループ単位で逃げることにしてもいいかもしれない。つまり、全員が楽しく遊べるように、かくれんぼのルールを少し書き換えて遊んだはずです。

実際の社会も同じです。この世に完璧な仕組みやルールはありません。アリが巣に住みながら絶えずそれを直し続けているように、私たちの生きる社会は作り途中なのです。どうしたら世界をもっとよりよいものにできるか。そのために自分は何ができるか。その前向きな力が、今の日本には圧倒的に足りていません。

ウィキペディアンは九割男性

「書き込み可能」というイメージにダイレクトに結びつく、身近な例を一つあげましょう。インターネットに接続したことのある人なら、一度はウィキペディアのページを訪れたことがあると思います。あの、オンラインの無料で見ることのできる百科事典です。

みなさんは、ウィキペディアの記事がどんなふうに作られているのか知っていますか? ウィキペディアの記事は、従来の百科事典とは異なり、その項目についての専門家が執筆しているわけではありません。中には専門家による記述もあるでしょうが、基本的には誰でも書き込むことができる、編集自由な場がウィキペディアです。まさに「みんなの事典」なのです。

ですが、この「みんな」とは誰でしょうか。実はある調査によれば、ウィキペディアを編集しているのは、九割が男性なのです。ウィキペディアの編集に参加する人を「ウィキペディアン」と言いますが、女性ウィキペディアンはごくごく少数なのです。

そのせいで、ウィキペディアの記事にはしばしば偏《かたよ》りが見られます。たとえば英国ウィリアム王子の結婚に関する記事。お相手のケイト・ミドルトンが着ていたウェディングドレスについての記事が作られたのですが、その日のうちに削除依頼が出されました。それどころか「バカげている」などという強い非難が起こったそうです(北村紗衣「ウィキペディアが、実は「男の世界」だって知っていましたか」現代ビジネス(https://gendai.ismedia.jp/articles/-/57657))。

私自身はケイト・ミドルトンのファッションについて、それほど関心があるわけではありません。ですが、彼女がどんなドレスを着たかは、決してトリビアルな話題とは言えないと思います。少なくとも、ウィキペディアに膨大《ぼうだい》な記事があるコンピューター関連のマニアックな話題に比べたら、一般的な関心は高いはずです。にもかかわらず、それはおそらく女性向けの軽薄なトピックだと判断されてしまったのです。

出産と哲学

実は、同じようなことは学問の世界でも起こっています。

私は今から一〇年ほど前に第一子を出産しました。出産の経験は私にとって大きな衝撃でした。自分の体が自分でも知らなかったような爆発的なパワーを発揮し、一つの命を自らから切り離すのです。出産後の痛みに耐えながら、この経験について、いつか言葉にしてみたいと思いました。

私は過去の哲学の文献にあたりました。哲学といえば「人間とは何か」という普遍的な問いに立ち向かう、古代ギリシャから続く歴史のある学問です。

ところが、です。哲学の中には、出産の経験についての記述が、ほとんど出てこないのです。理由はもう明らかですね。哲学者のほとんどが男性だからです。哲学は普遍を標榜《ひょうぼう》していながら、人類の約半分が経験する可能性のある一大事について、ほとんどスルーしているのです。

冒頭で、私は障害のある人の感じ方について研究している、と述べました。実は、私が障害のある人について研究しようと思ったきっかけの一つが、この出産後に経験した哲学への不信なのです。哲学は人間を扱っているけれど、そこで言う「人間」に、自分は入っていないのではないか。そもそも「普遍的な人間」など存在するのか。本当は、一人ひとり異なる具体的な人間がいるだけではないのか。

私は、哲学が前提にしてきた「人間」像を、もっと別の角度からとらえてみたい、と考えました。そこで、障害者という、スタンダードとは異なるとされる体を持つ人について考えることを始めたのです。それはとりもなおさず、哲学がこれまで前提にしてきた「人間」像に書き込みをする作業でした。

これは単に哲学という学問をよりよいものにするための書き込みではありません。哲学がつむぎだす「人間とはこういうものだ」という理解が、私たちの社会のさまざまな場面に影響を与えうるからです。もちろん、私一人ができることは微々たるものです。でも気づいた人が書き込みをしなければ、人間が考える「人間」は、永遠にアップデートされることはありません。

羅針盤を手に

この作り途中の、まだまだダメなところがたくさんある社会に書き込みをする。そのために必要な、知識と思考力と意欲を、大学はあなたに与えます。あなたを、私たちと一緒に社会を作る同志にするためです。

するべき仕事がたくさん残っています。特に、女性であるみなさんには。フェミニストになれと言いたいわけではありません。あるいは社会を変える政治家になれ、アクティビストになれ、と言いたいわけでもありません。

ただ、何か違和感を持つことがあったら、その背景を調べ、あなたに可能な書き込みをしてほしい。どんなに小さなことでも構いません。お客さんとして社会を傍観しているのではなく、プレイヤーとしてフィールドに下り、参加してほしいのです。

そうはいっても、いまの時代に「書き込み」をするのは勇気がいることかもしれません。ちょっと目立ったことをすると、SNS等で叩かれたり、批判されたりするからです。

いま、私たちが生きるのは分断の時代です。自分とは違う人を排除したり、ある事柄について賛成派と反対派がお互いを罵《のの》り合ったりするような事態が、世界規模で進行しています。

「地図より羅針盤《らしんばん》を持て」という言葉があります。地図は、確かに持っていると安心です。いま自分がどこにいるのかを確認することができるし、これから何が起こるか予測するのを助けてくれます。

けれども混沌《こんとん》とした社会に向き合うときは、地図を作ることはかえって危険な場合があります。分かりやすい構図のもとに状況を整理しようとして、この人は味方、この人は敵、などと違いばかりを強調することになるからです。地図は、分断を加速させてしまう可能性があるのです。

そうではなく、羅針盤に従うことが重要なのではないか、と思うのです。問題は、目先の道が左か右かということではない。自分が、そして社会が、最終的に目指したい方向はどっちなのか。仮に見通しが悪くとも、正しい方向を大局的にとらえ、混沌に翻弄《ほんろう》されながらもそちらに向かって進んでいくこと。この言葉はその重要性を説いていると、私は理解しています。

私自身は、冒頭でお話ししたように、「感じる」ということが持つ力を通じて、この社会を少しでも居心地のよいものにしたいと考えています。「感じる」というと、絵を見たり音楽を聴いたりといった、「趣味」や「エンタメ」に関する能力だと思われるかもしれません。でも、それは社会を作る力にもなりうるのです。

たとえば、私は視覚に障害を持つ人の感じ方について分析しています。目が見えない人は、聴覚や触覚を使ってどんなふうに世界を感じているのか。視覚なしで見える世界とはどのようなものなのか。そう想像します。

あるいは、吃音を持つ人についても研究しています。吃音を持つ人が体から言葉を発する感覚はどんな感じで、どんな工夫をしているのか。実際に当事者の方からお話を聞いて、さまざまな人の「感じ方」を言葉にし、分析することで、違いに明確な輪郭を与え、それを分断ではなく活力にする方法を見出したいのです。

本当の意味で他人がどう感じているかは分かりません。でも「こんな感じなんじゃないか」と想像してみることはできる。自分の視点を離れて、その人に変身してみるのです。そんなふうに、自分という物理的な境界をふっと越え、私の「あたりまえ」をじわじわ脅《おびや》かす力が「感じる」にはあります。

「感じる」はあくまで私の方法です。きっと、あなたにも、あなたならではの視点があるはず。大学でたくさんの出会いと経験をして、それを見つけてほしいと思います。

What one learns at university

小説を読む

磯崎憲一郎

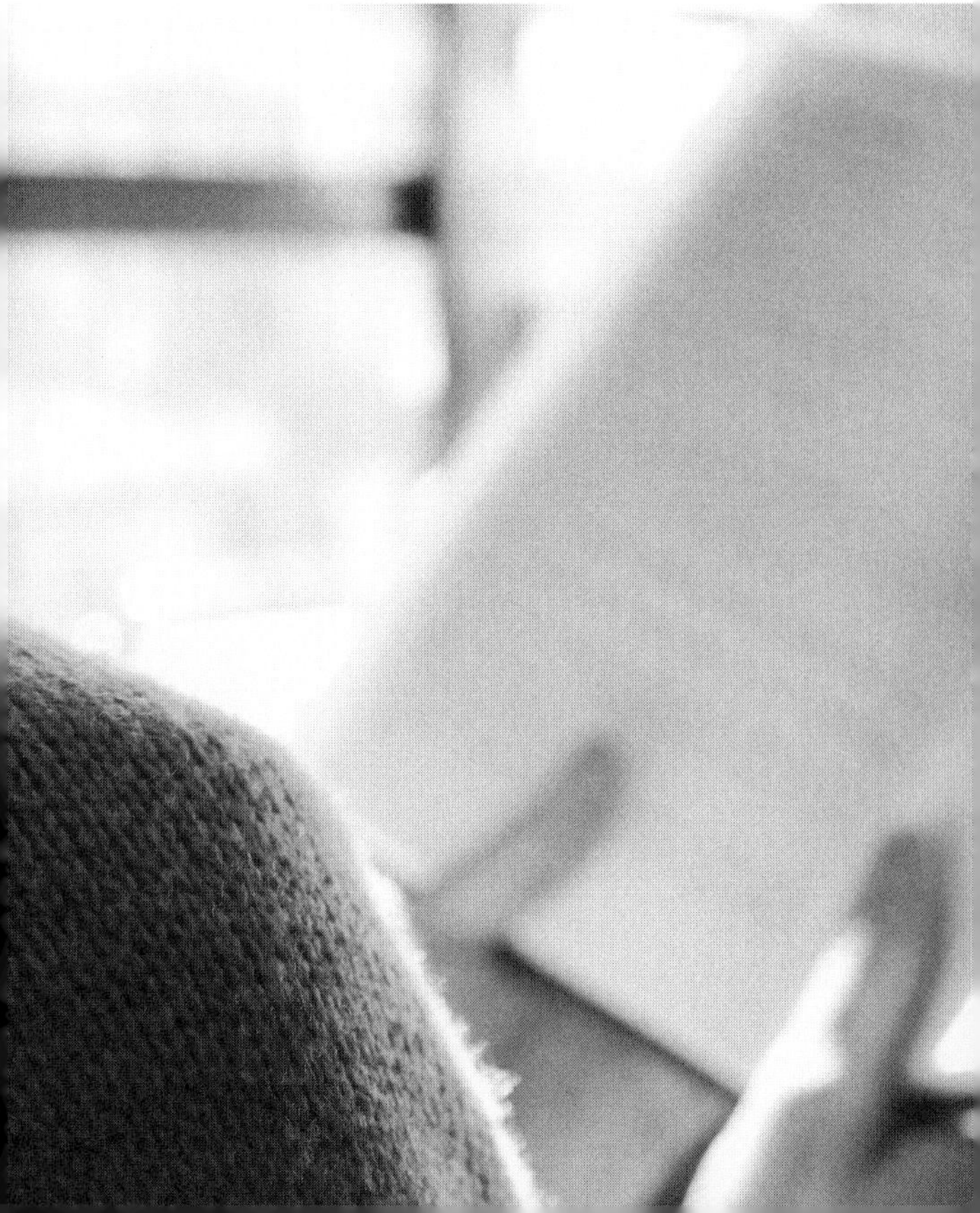

試験問題への違和感

中学、高校時代の授業を思い出して欲しいのだが、音楽の時間に、モーツァルトの交響曲を聴いて、「この楽曲に込められた、作曲者の意図を述べなさい」という課題が出されたことはないだろうし、美術の試験で、セザンヌの描いた静物画を見て、「この作品を通じて、画家が伝えたかったこととしてもっとも相応《ふさわ》しいものを、次の五つの選択肢の中から選びなさい」などという設問が出されたこともないだろう。

ところがこれが、国語の現代文の、小説が使われた試験問題となると事情は異なる。「傍線部の作者の意図を、三十字以上五十字以内で述べなさい」だとか、「傍線部の主人公の心情として、あなたがもっとも相応しいと思うものを、次の五つの選択肢の中から選びなさい」という設問が、当たり前のように出されている。多くの人はそのことに疑問すら感じていないのかもしれないが、しかし正《まさ》しくここに、小説の読み方、小説との付き合い方を誤らせる、一番の原因がある。

じつは私の小説も、入試問題に使われたことがある。米国の地方都市に駐在したばかりの日本人青年が、米国人のシングルマザーと知り合う、主人公の青年は彼女の家に初めて招かれ、玄関から中に入ろうとした一瞬、逡巡《しゅんじゅん》する、その部分の文章に傍線が引かれ、「このときの主人公の心情を、三十字以内で述べなさい」と問われているのだが、作者である私が頭を捻《ひね》っても、この場面の主人公の錯綜《さくそう》した心情を三十字以内で述べることは、不可能なように思われた。解答例も見てみたが、とても納得感のある答えではなかった。

「遠藤周作さんが、自分の小説を使った某大学の入試問題を解いてみた。『主人公の心理を選べ』。四つの選択肢から一つを選ぶのだが、遠藤さんには四つとも正解に思えた。人間心理はそれほど単純なものではないはずだ、とかつて月刊誌で嘆いた」。これは二〇一七年一月十三日付け朝日新聞朝刊「天声人語」欄の冒頭の一節だが、何十年も昔から、自作が使われた試験問題に違和感を覚える小説家は少なくなかった。にも拘《かか》わらず、その後も小説は国語、現代文の試験問題に使われ続け、当のその小説の作者ですら設問内容、解答に疑問を抱かざるを得ないのに、その採点結果が、受験生の合否、もしかしたら人生さえ左右している。なぜこんな、おかしな事態が現在に至るまで続いているのか？

それは全て、小説とは作者の意図や主題、問題意識を投影する、透明で従順な媒体である、という誤解から来ているように、私は思う。小説とは、紙に文章が印刷されているという見た目は同じであっても、新聞記事や論説文、評論とは全く異なる、むしろ音楽や美術に近い、芸術表現なのだ。

小説は美術や音楽の仲間

新聞記事や論説文であれば、書き手には伝えたい主題、メッセージ、問題提起等があり、文章を通じてそれらを読者に明確に伝えることが第一義となる、つまり新聞記事や論説文の文章とは、書き手の考えを伝えるための、一種の伝達手段となる。だが記事や論文と同じように文章の連なりから作られてはいても、小説や詩は違う。例えば、次の文章を読んでみて欲しい。

ああ、もしインディアンだったら、すぐにも走り抜けて行く馬に飛び乗って、風に身を伏せ、揺れる大地に身も戦《おのの》き、また戦き、ついに足は拍車を離れ、だって拍車なんかもうないんだから、手は手綱を捨て、だって手綱なんかとっくにないんだから、目の前にはただ刈り尽くされた荒野のほかは見えるものとてほとんどなく、気がつけば馬の首も頭ももうとっくに消え去って。

（「インディアンになりたいという願い」『カフカ・セレクションⅡ　運動／拘束』
フランツ・カフカ著、平野嘉彦編、柴田翔訳、ちくま文庫、二〇〇八年）

これは、フランツ・カフカがノートに書き遺した断片の中の一つだが、初めてこの文章を読む読者は、何を感じるだろう？　荒野を疾走《しっそう》する馬の背中で浴びる、思わず身を伏せずにはいられない風の冷たさかもしれないし、飛び乗ったはよいが予想外のスピードで走る馬に対する恐怖かもしれない、カフカと同時代の十九世紀末から二十世紀初頭のヨーロッパ人が抱いたであろう、新大陸の見渡す限りの原野への憧《あこが》れであってもよいだろうし、首と頭のない馬がそれでも人間を乗せて走り続けているという、若干グロテスクなイメージであってもよいだろう、中には、こんなのは非現実的なイメージの羅列《られつ》としか自分には思えない、つまらないという反感、不快感を覚える人もいるだろう。この文章から何を感じるかは、読者一人一人の自由であり、どんな感想を持っても構わない。カフカ本人も、読者に伝えたい明確な意図や主題、何かの比喩《ひゆ》としてこの文章を書いたわけではない。

こうした文章を読んでいる最中に、私たちの中に湧き起こってくる気持ちのざわつき、言語化することも躊躇《ためら》われるような、強い波動を受けるような感じは、セザンヌの重力に逆らうかのような奇妙な構図の静物画を見たときや、モーツァルトの天国的な旋律に浸り切っているときに、私たちの内部で生じる感覚に極めて近い。つまり小説とは音楽や美術の仲間であり、言語を用いてはいるが、新聞記事や論文のような論理的な文章とは異なる、紛れもない「言語芸術」なのだ。

小説を教えることは可能か？

しかし、そこから何を感じ取ろうと自由な、正解など存在しない、芸術の一つである小説を、学校の授業で、教壇に立った教員が学生に教えることなど可能なのだろうか？　私は、個人的には、それは不可能だと思っている。小説を取り上げる大学の授業で、多くの教員が教えているのは、文学史におけるその作品の位置付け、重要性、作者の来歴、アカデミズムの世界では一応それが「常識」とされている、その作品の解釈の仕方などの、周辺情報や知識の類《たぐい》に過ぎない。それらは小説本体とは、何の関係もない。

小説が芸術である限り、「教える」ことは不可能かもしれない、しかし「共感する」ことであれば、それは可能なように思う。例えば、サッカーが好きな人同士であれば、欧州リーグで活躍するフリーキックの名手の蹴《け》ったボールが、どれほど美しい弧を描いてゴールに吸い込まれていくか、語り合うことは可能だろう、音楽のロックが大好きな人同士であれば、早逝《そうせい》したギタリストのジミ・ヘンドリックスの爪弾《つまび》くフレーズがいかにカッコよいか、ブルースに根差していながら極めて革新的だったかを、何時間でも話し合えるだろう。同じように小説に対しても、「あの作家の小説は、読み進めていく内にどこへ連れて行かれるか分からない」だとか、「あの小説が凄《すご》いのは、たった一文で情景を一変させてしまうところだ」といった感想を互いに述べ合って、共感し合うことはできる。

これこそが、小説本体に寄り添った授業なのだと、私は思う。もちろん共感などせずに、異なる見解を出したり、反論しても構わない、そのときにはもはや教員と学生、先生と生徒という関係ではなく、皆が一読者という対等な立場で意見し合っていることになるが、そうした対話を通してのみ、学生は小説という表現の自由さ、というよりは、世界の在り方の「懐《ふところ》の深さ」のようなものを知る。

私は現在、理系の学生を相手に文学の授業を行っているが、文系の、文学部よりも、理系の方が、変わった切り口で小説を読み解いたり、私も余り読んだことのないような不思議な短篇を書いてくる学生が多いように感じている。これは恐らく、文学部の学生が知らず知らず刷り込まれてしまっている、文学に対する盲目的な、不要なリスペクトが、理系の学生にはないからのような気がする。文学、小説に対する知識や周辺情報が増えれば増えるほど、小説本体にまっさらな気持ちで向かうことは難しくなる、知識が邪魔をして、型に嵌《は》まった読み方しかできなくなってしまうのだ。

読書の時間の中にしかない小説

そういう意味では、名前だけは有名でありながら、型通りの解釈に晒《さら》されることが多く、作品本体とはかけ離れた作家像が定着してしまっているのが、先ほども引用したフランツ・カフカだろう。ドイツ文学を専門に研究している学者でさえも、カフカという名前を聞けば、ほとんど反射的に、「不条理」「悪夢的」「内省的」「生の不安」「シオニズム」といった単語を羅列してしまうのだが、それらの見方はカフカという作家およびその作品の、ごく限られた一面しか捉えていない。

代表作とされる『変身』は、主人公の服地のセールスマン、グレーゴル・ザムザがある朝、胸苦しい夢から目覚めると、巨大な毒虫に姿を変えてしまった場面から始まることから、高校の現代文の授業でも「不条理文学の傑作」などと安易に教えられてしまうのだが、じっさいにこの小説を先入観抜きに、丁寧に読んでみれば、読者の多くはかなり違った印象を持つはずだ。主人公が毒虫になった自分を発見した冒頭の、それに続く場面を引用する。

箪笥の上でチクタクいっている目ざまし時計に彼は眼をやった。「とんでもない！」時計は六時半だった。針はそのまま平然と進み、半もあっさり過ぎて、たちまち四十五分に近づいた。ベルが鳴らなかったのか？　ベッドから見ても、たしかに四時にセットしてあるのだ。（中略）どうしたらいいのか？　次の汽車は七時発。それに乗ろうと思えば、むやみやたらに慌てふためく必要がある。生地の見本はまだ鞄につめてない。気分はといえば、とても生気潑剌とはいいかねる。そしてかりに七時の汽車に乗れたとしても、社長の大目玉を覚悟しないわけには行かない。

（「変身」『決定版カフカ全集１　変身、流刑地にて』フランツ・カフカ著、マックス・ブロート編集、川村二郎・円子修平訳、新潮社、一九八〇年）

ここで驚かされるのは、主人公は大きな毒虫に姿を変えてしまったにも拘わらず、そのことに絶望するわけでもなく、寝坊したことを悔やみ、会社に遅刻しそうになっていることに焦っているのだ！　虫の身体で、いったいどうやって汽車に乗る積もりなのだろう？　この小説は、じっさいに本文を読み進めていけば自然と感じることだが、思わず笑ってしまうような、奇妙なユーモアに満ち満ちている。カフカの他の作品も、じつは読んでみると非常に面白い。文章も生き生きとした躍動感に溢《あふ》れている。「悪夢」や「生への不安」よりはむしろ、人間と現実世界への強い肯定を、私はカフカという作家に感じる。

カフカに限らず、いかなる小説も、その小説を読んでいる最中の読者の中に湧き起こってくる正直な思い――高揚、驚き、発見、不安、自分の立ち位置が揺らぐような感覚、意味不明さ――それらこそが小説なのだ。小説に纏《まつ》わる知識や作家の評伝などの周辺情報をいくら集めても、それらは小説ではない。小説は、じっさいにその作品を一文一文読むという、具体的な経験、読書の時間の中にしかない。そのことをまずは理解して欲しい。

What one learns at university

教養はどのような時に役立つのか

中島岳志

私は大学で何を教えているのか

私は、東京工業大学で政治学の授業を担当しています。授業では「政治の可能性」よりも「政治の限界」を認識することをポイントとしています。

私が研究対象としているのは、宗教ナショナリズムや原理主義といった「個人の精神的な実存」の問題とリンクする政治運動です。「信仰心」や「愛国心」といった「心」にかかわる問題が、政治といかなる形で関係しているのか——。このテーマを追究することが、私の研究です。

最も関心があるのは、現代日本の「右傾化」といわれる現象です。1980年代の教科書問題や靖国問題、朝日新聞記者を殺害した赤報隊《せきほうたい》事件などが契機となり、1990年代に拡大したナショナリズム運動のあり方を考察しています。

この研究のために、私は時間と空間をずらして、比較の視点を導入してきました。

時間をずらして考察したのは、戦前・戦中の日本です。この頃の日本では「国体論」といわれる神道的天皇主義とナショナリズムが一体化した思想が高揚し、世界を天皇のもとに統一しようとする「八紘一宇《はっこういちう》」の理念が掲げられました。私は、この時代の「超国家主義」を担った思想家や活動家、テロリストなどの内面の問題を読み解き、右傾化の論理を追究してきました。

一方、空間をずらして考察したのは、現代インドです。現在のインド(2019年12月現在)の政権与党を担っているのはBJP(インド人民党)という政党です。この政党は、ヒンドゥー・ナショナリズムを信条としており、国内の宗教的マイノリティ(特にイスラーム教徒とキリスト教徒)に対して、排他的な態度をとっています。インドは人口の約8割がヒンドゥー教徒という国です。ヒンドゥー・ナショナリストといわれる人たちは、インドを「ヒンドゥー・ラーシュトラ」(ヒンドゥー国家)と見なし、ヒンドゥー教中心の政策を志向しています。このような宗教ナショナリズム(あるいは宗教原理主義)が、なぜIT大国といわれる現代インドで拡大するのかを明らかにするために、現地でフィールドワークを重ねてきました。

多くの人々が存在論的な悩みを抱え、社会関係の不調和の中から孤独や疎外感にさいなまれる今日、世界規模で右傾化現象や宗教原理主義の勃興が見られます。この潮流を支える現代の不安を見つめつつ、それに対して「政治に何ができるか」とともに、「政治は何をやってはならないのか」を論じています。

福田恆存のメッセージ

私が尊敬する人物に福田恆存《つねあり》がいます。福田は1912年生まれの批評家・劇作家で、戦後の論壇では保守の論客として活躍しました。1994年に亡くなっていますので、基本的には昭和の時代に活躍した知識人と言えるでしょう。

福田が若い頃に書いた文章に「一匹と九十九匹と」という論考があります。彼はここで、政治と文学の位相《いそう》の違いについて考察しています。

彼は言います。

政治と文学とは本来相反する方向にむかふべきものであり、たがひにその混同を排しなければならない。[福田 2009: 321]

彼は「文学者として政治に反撥する」と言います。しかし、それは「政治がきらひだからでもなく」、また「政治を軽蔑するから」でもありません。政治はとても重要な仕事です。彼は「政治の十全な自己発揮」を強く願っています。しかし、文学者としては、政治への反発を前提にしなければならないと訴えます。なぜでしょうか。

ここで彼はイエスの言葉を引用します。

「なんぢらのうちたれか、百匹の羊をもたんに、もしその一匹を失はば、九十九匹を野におき、失せたるものを見いだすまではたづねざらんや。」(ルカ伝第十五章)〔福田 2009: 322〕

百匹の羊を飼っており、そのうちの一匹が見当たらない時、あとの九十九匹を野に置いておいても、最後の迷える一匹を探し出さなければならない。そして、懸命に救い出さなければならない。イエスはそう言いました。

福田は「このことばこそ政治と文学との差異をおそらく人類最初に感取した精神のそれである」と考えました。

福田は続けます。

九十九匹を救へても、残りの一匹においてその無力を暴露するならば、政治とはいつたいなにものであるか――イエスはさう反問してゐる。かれの比喩をとほして、ぼくはぼく自身のおもひのどこにあるか、やうやくにしてその所在をたしかめえたのである。ぼくもまた「九十九匹を野におき、失せたるもの」にかかづらはざるをえない人間のひとりである。もし文学も――いや、文学にしてなほこの失せたる一匹を無視するとしたならば、その一匹はいつたいなにによつて救はれようか。〔福田 2009: 323〕

政治とは、基本的に異なる他者間の利害調整や合意形成を行う存在です。世の中には、様々な価値観を持つ人たちや様々な境遇の人たちがいます。世の中は多様な人たちによって構成され、運営されています。そのため、社会を安定的に維持していくためには、大変複雑な利害の調整が必要になります。政治は、時に多くの富を持つ人から多くの税をとり、社会的弱者に対して配分します。価値観の対立が起これば、互いに納得のいく落としどころを探り、合意を取り付けます。多くの人(=「九十九匹」)は、政治によって救済され、個々人の幸せを追求して生きることができます。

しかし、どんなに素晴らしい政治が行われ、富の再配分がきめ細やかに行われていても、救われない「迷える一匹」は存在します。お金はたくさん持っている。地位も名誉も手にした。でも、幸福感を得ることができない。生きていることが虚《むな》しい。いっそ死んでしまいたい。そんな思いに取りつかれている人がいます。

福田は、政治は「九十九匹」を救うためにあると言います。しかし、残りの「迷える一匹」を、政治が救うことはできないとも言います。そして、その「一匹」を救うことこそ、文学の仕事だと言うのです。

善き政治であれ悪しき政治であれ、それが政治である以上、そこにはかならず失せたる一匹が残存する。文学者たるものはおのれ自身のうちにこの一匹の失意と疑惑と苦痛と迷ひとを体感してゐなければならない。
この一匹の救ひにかれは一切か無かを賭けてゐるのである。なぜなら政治の見のがした一匹を救ひとることができたならば、かれはすべてを救ふことができるのである。〔福田 2009: 323〕

福田の議論の重要なポイントは、次にあります。

善き政治はおのれの限界を意識して、失せたる一匹の救ひを文学に期待する。が、悪しき政治は文学を動員しておのれにつかへしめ、文学者にもまた一匹の無視を強要する。〔福田 2009: 323〕

福田は、政治に対して「一匹」を救おうとしてはならないと警告します。なぜならば、その「迷える一匹」を政治が救済しようとすると、他者の心の問題に政治が介入することになるからです。

政治は心を支配してはならない。常に異なる他者間の利害調整と合意形成に注力しなければならない。政治が他者の心を満たそうとすると、そこに全体主義やファシズムが忍び寄ってきます。福田は、そのような政治を断固として拒否し、政治の領分を限定しました。そして、政治の手からこぼれた「一匹」の心を救うことにこそ、文学の使命があると言いました。

福田は別の文章(「文学と戦争責任」)の中で、文学者の戦争中の活動について論じています。大東亜戦争中、軍部の戦争指導に迎合し、戦争協力を行った文学者たちが存在しました。時に戦争を美化し、天皇主義的イデオロギーの正当化に貢献しました。福田は、そのような文学者の戦争協力を、戦後の高みからことさら批判するようなことはしません。しかし、徹底的に軽蔑します。ただ、その軽蔑は、文学者たちが時流に迎合し、戦争を礼賛《らいさん》したからではありません。「ぼくがかれらを軽蔑するのは、かれらが戦争、ないしは敗戦に責任があつたからではなく、文学者として完全に無資格だつたからにほかならない」と言います。

文学者の政治関与はあくまで現実の人間心理に対する洞察によつて裏づけられてゐなければならず、かれの眼は、すべてが浮きあがつた玉砕主義、敗戦思想へとまつしぐらに堕落してゆく混乱のただなかにあつて、いつぱうに国民のひとりひとりがその生活を守らうとしてあへいでゐた蟲けらのやうにあはれな人間の姿を捉へてゐなければならなかつたはずである。当時の指導者のかかげる理想の虚偽を指摘することはかならずしも文学者の眼を必要としない。しかし、その理想の鞭に打たれ、傷ついた獣のやうにおのれのエゴイズムをもてあましてゐた国民のいぢらしい心情は、もしこれを作家が見のがしてしまつたなら、いつたいだれがその委曲に眼をとどかしてくれようか。〔福田 2009: 312〕

当時の文学者は、戦争に向かって堕落《だらく》する社会の中、エゴイズムによって「蟲けらのやうにあはれな」醜態《しゅうたい》をさらし、「傷ついた獣」のように他者を傷つけた国民の「いぢらしい心情」を救おうとしなかった。「迷える一匹」を野に放置し、「九十九匹」の論理(＝政治の論理)に寄り添った。そのことこそ非難されなければならない。そう言うのです。

「九十九匹」のための実学、「一匹」のための教養

私はこの福田の論理を基礎に、政治学を構想してきました。冒頭に述べたとおり、私は「政治の可能性」よりも「政治の限界」について繊細になるべきだと考え、そのことを政治学の授業の中で強調しています。

このポイントは、「教養はどのような時に役立つのか」という問いと直結します。福田が「文学」と言っているのは、狭い意味での「小説」や「詩」に限定されません。芸術や宗教などを対象とする人文学を含んでいます。

私たちは、普段は「九十九匹」の側《がわ》にいます。日常生活を平穏に送り、安定した家族関係や友人関係、仕事、部活、レジャーを楽しみながら生きています。もちろん多少の不満は存在します。しかし、そのなかには科学技術の進歩や政治の政策によって解決できるものが多くあります。

私たちは、社会の安定と発展のために、専門知識を十分に学び、実学を貴《たっと》び、社会貢献のために努力すべきです。それはとても尊い営みです。特に理工系の学問は、これまでの技術では救うことのできなかった命を救い、不可能だと思われた念願をかなえることができます。とても素晴らしい仕事です。

しかし、私たちは、あることを機に安定した日常を失い、唐突《とうとつ》に「迷える一匹」になってしまう存在です。大切な人が突然亡くなった時、信頼していた相手に裏切られた時、人間不信に陥った時……。私たちの目の前は真っ暗になり、手にしてきた世俗的価値(お金や資格、実学的知識、地位、名誉など)は役に立たないものになります。私たちはすべて「九十九匹」であり「一匹」でもある存在です。

これからの人生、何度か大きな挫折《ざせつ》や悩みがやって来ると思います。根源的な苦悩や危機に直面した時、残念ながら理工系の専門知識や実学はあまり役に立ちません。しかし、学生時代に触れた哲学書や小説、詩の一節、映画のワンシーン、音楽などが生きる支えになることがあります。

リベラルアーツは平穏な日常においては、特に役に立つことはありません。立身出世にもそれほど役に立ちません。お金も儲かりません。しかし、何らかの形で人生の前提が崩れた時、リベラルアーツ教育で得た「教養」が意味を持ちます。年齢を重ねた教員が、口をそろえて「学生時代に多くのものに触れてほしい」「様々な経験を積んでほしい」と言うのはそのためです。専門知識とリベラルアーツは、役に立つ位相が異なるのです。専門には専門の

「場所」（トポス）があり、教養には教養の「場所」があるのです。

解らなくても何の問題もないので、気になった文学者、芸術家、思想家、哲学者、批評家、学者がいれば、その著書や作品に触れてください。ややこしそうな名作映画もみておいてください。ライブハウスで音楽を聴き、美術館で芸術を鑑賞しておいてください。旅にも出てほしい。歌舞伎もみてほしい。文楽も。現代演劇も。解らなくてもいい。解ることには大した意味はありません。所詮《しょせん》、今の自分に「解る」程度のものですから。

しかし、「解らないけどすごいもの」「うまく言語化できないけど心を動かされたもの」に触れていると、「解る」以上の感触が残ります。何らかの引っ掛かりが残ります。それが重要です。

将来、大きな躓《つまず》きを経験した時、「あっ、あのとき読み残した哲学書を読んでみよう」「あの時の映画をもう一度みてみよう」と想起できることは、大きな財産です。この「引っ掛かりのインデックス」が多いほど、危機に強い人間になります。逆に教養のない人間は、インデックスを持っていないために、大切な言葉やメッセージに到達する道筋を予《あらかじ》め失っています。これを出来合いの教養ハウツー本で補うことはできません。若い時の「暇」や「無駄」

によってしか得られない貴重なものです。
「解ること」よりも、「解らないこと」を大切にしてください。「解らないもの」に対して、目一杯、背伸びしてください。そして、ちょっと億劫《おっくう》でも、書店やライブハウス、劇場に足を運んでください。「何か解らないけど、よかったな」という感触が、将来の人生を支えてくれます。

引用文献

福田恆存(2009年)『福田恆存評論集』第1巻、麗澤大学出版会

What one learns at university

試行錯誤の学び

西田亮介

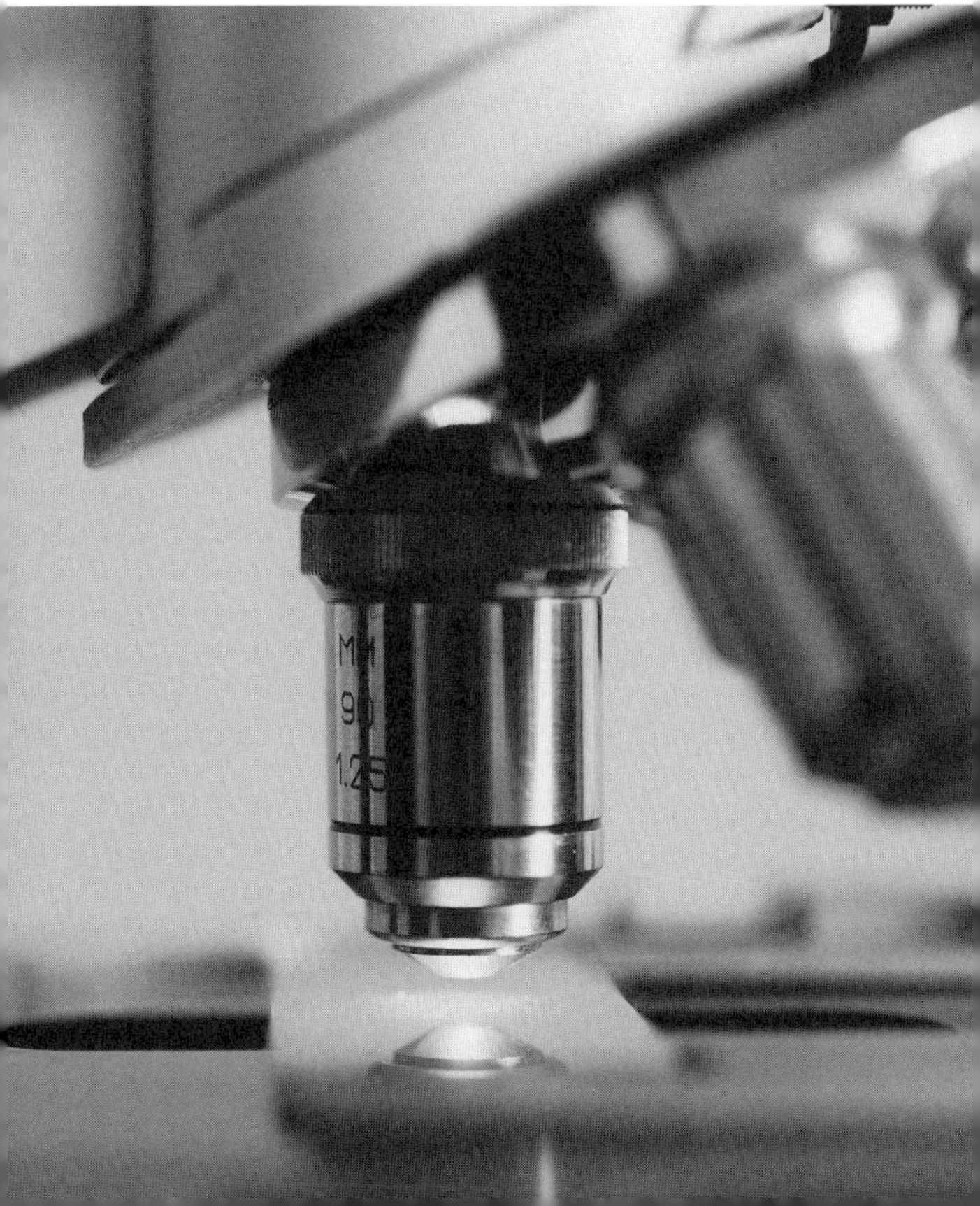

選択するという作業

「大学で何を学ぶか」ということは、若い読者の皆さんにとって切実な問題でしょう。本書の読者のなかには、もしかすると「何を学べばいいのかわからない、決められない」「いま学んでいることがあるがそれでよいのかいまいち確信が持てず困っている」という人もいるかもしれません。直面するのは選択の難しさです。そこにはそもそも選択肢を作り出すことも含まれます。

大学入試までの「勉強」では「勉強すべき範囲」が決められていました。「小学校ではここまで、中学校ではここまで、高校ではここまで」といったように。「何を学ぶか」というある種の根源的な問いはあまり考える必要がなかったといえるでしょう。

初等中等教育に飛び級制度のない日本では、その範囲と進度にあわせて知識と考え方、応用の仕方を習得していけば事足ります。大半が必修科目で構成され、選択科目の余地はそれほど多くはないはずです。

そのような条件のもとでは、「何を学ぶか」という明確な答えがでない、そして客観的な正解も存在しない問題にアタマを悩ませるのは、一見合理的ではなさそうです。目の前の「学ぶべきこと」の習得に「正しく」、つまり効果的かつ現実主義的に時間と情熱、そしていくばくかのコストをかけるほうがよっぽど「成果」がありそうだということで、「学び」が得意な人ほどそういった「そもそも論」を遠ざけてきたのかもしれません。

大学入試でさえ、その延長線上にありました。少なくともぼくにとってはそうでした。私立の一貫校に通っていたので高校2年生のときに文系か理系かを決めました。文系を選んだ理由は家族に理系が多かったから。それに対する反発が理由でそれ以外の特別な理由はありませんでした。そのあと大学のリストのなかから、なんとなく受験する大学を決め、粛々《しゅくしゅく》と「受験対策」に時間を割《さ》きました。結局国立と私立の大学をいくつか受験して、国立大学の受験については幸か不幸か結果が芳《かんば》しくなかったこともあって私立大学に進学することになりました。

このように大学に入るまで「自分が、これから何を学ぶか」ということをそれほど真剣に考えたことはありませんでしたし、それらを考えなければならないと思うこともほとんどありませんでした。皆さんはどうでしょうか。

しかし、他の先生方も言及されているように、大学での学び、そして研究は違います。突然、各学生が自ら決めなければならないことが格段に増加します。大学でのカリキュラムや科目を見てみても、医学や看護学などいくつかの専攻を例外として、必修科目の占める割合が減少し、選択科目が増えたはずです。高校までの学びと相当異なった学びが待っていることがうかがえるでしょう。

その多様さと複雑さ、そしてそのなかから選択するという作業こそ、大学以後における学びや研究を表現しているともいえます。さらに最近では留学するかどうか、行くならどこに行くのかということや、インターンシップやフィールドワークなどキャンパスの外での学びを求めるカリキュラムも少なくありませんから、そうだとするとなおさら選択は難しくなっています。

その変化を楽しみに思える人はよいとして、不安に思う人もいれば、そもそも変化を言葉にするという水準では認識していなかったという人もいると思います。仕事がら、毎年大学1年生と接しますが、変化をうまく認識できていない、対応できていないように見える人は少なくありません。大学に入ってからも、中学、高校までと同じようになんとなく周囲を見回しながら「正しく」「合理的な」方法を探している人も大勢いるようです。

「何を学ぶか」

それでは、どのようにして、「正しい」「大学での学び」を選びとっていけばよいのでしょうか。本書を手に取る、そして少なくないはずの若い読者の皆さんはそういった関心をお持ちのことだと思います。

巷《ちまた》に出回っている、自己啓発や安っぽいネットの記事のなかにはいくらでも「人生で大切なことを選ぶための5つの方法」といった記事を見つけることができるでしょう。本書を手に取るより先にそういった記事を目にしているかもしれません。そこでは根拠はたいていよくわかりませんが、さも現実的な正しい方法があるかのように語られています。そういったものにいささかの胡散臭《うさんくさ》さを感じたか、それともハナから「正しくない」答えのほうが気になって本書を手に取ってみたのではないでしょうか。

ネットやSNSの普及によって、いろいろなところで「なにかを学ぶ」ための現実的で、正しい方法は広く普及し、学習コストは大きく低減しました。ネット以前には、学ぶための教材の数は限られ、教える人も東京や都市部に集中しがちでした。ネットやSNS、動画配信サイトの普及はこうした問題を劇的な水準で解決しつつあります。

受験勉強も塾や予備校だけではなく、自宅でも学ぶことができる動画アーカイブと演習問題を組み合わせたスタイルに移行しつつあります。こうした変化は何も勉強だけではなく、たとえばプログラミングや楽器の演奏、語学についても同様です。少し検索してみれば、優れた教材をいくらでも見つけることができ、それらのコストがひと昔前より格段に下落しています。少し前なら、移動等も含めた学習コストの高さは学びにとって厳しい制約条件になっていたはずですが、今ではそれらは方法次第で克服できるものになろうとしています。5GやVRといった情報通信技術のますますの発展は、そのような方向にますます拍車をかけることでしょう。

ただし学習コストの低減は何もよいことばかりというわけでもありません。なにかを学ぶコストが変化したことで、とくに人気が集中しがちな分野においては求められる水準がより高いものになること、言い換えるといっそう競争が激しいものになるであろうことは容易に想像できるはずです。今までと同じ領域だけで、同じように競争するのであれば、要求水準はあがるばかりですよね。東アジアでの日本語学習者が増え、高校、大学、大学院と日本にやってくる留学生は相当数増加しています。

安易に、ひと昔前と同じように、他人と同じ道を選ぶと思いもかけず大変な競争に巻き込まれてしまうかもしれません。つまるところ「どうやって学ぶか」もさることながら、「何を学ぶか」を選択することの意味はかつてよりも重みを増しているともいえます。

2本の補助線

それにしても何を学べばいいかもわからない一方で、何を学ぶかということの重要性も増しているとすれば、選択者にとっての選択の負荷《ふか》はこれまでよりも大きくなっているということを意味します。

なんだか重たい話になってきました。どうすればよいのでしょうか。2本ほど補助線を引いてみることにしたいと思います。ひとつは試行錯誤《しこうさくご》に開かれてみてほしいということです。新しい友人をつくって、新しい環境に身を置き、それまで興味がなかったこと、知らなかったことを学んでほしいのです。そしてそれを通じて、どんどん考えを変えていってほしい。

良くも悪くも日本社会においては、大学入学時点で明確に他人と異なった将来像やビジョンを持っているという人は少ないでしょう。あるいは持っていたとしても、何かしらどこかで聞き覚えがあるものであったりすることが少なくありません。

これは別に皆さんに限った問題というわけではなく、前述のような理由で、長くそうだったのではないかとも思います。18歳までの教育や経験、知覚した情報は限定されているともいえますから、それだけで将来の進む道を安易に規定してしまうのはもったいないと言い換えてもいいでしょう。社会情勢や技術も変わるし、大学で出会った同級生や、ときには教員に触発されることもあるはずです。学問や新しい経験もそうかもしれません。それまでと考えが変わることもあれば、信念が揺らぐこともあるでしょう。ぼくも入試に失敗していなければ、研究者にもならず、本書のラインナップにも参加していなかったはずです。やや上から目線ですが、試行錯誤の全てが成長の試金石です。

大学入学までに考えていたキャリアやビジョンをずっと持ち続けているとすれば、それはそれでいまのぼくなら心配になります。

もうひとつの補助線は人生の多様な評価軸と関連する時間の問題です。思っているより、評価のされ方は多様だということです。他者からの評価と、自分による評価は別物です。自分が好きなことややりたいこと、得意なことと、他者から評価され、強みになる、ときには仕事になるような点が異なっているということは多々あります。

自分の意志と、他者からの評価のどちらを優先すべきでしょうか。もちろんいじめや暴力、ブラックな職場などは別です。そんなものを我慢する必要はなく、さっさと逃げる、やめるべきですが、判断に困るのはグレーゾーンの領域です。

このときぼくは必ずしも自分の意志を優先すべきとは思いません。判断を留保して、よく考える、周囲を見渡してみるのも重要です。好きなことでもやはり向き不向きはあります。環境から評価されないことや理解されないことも少なくありませんし、そもそもどうにもならないことが存在することにそのうち気づくはずです。

初志貫徹というと聞こえはよいかもしれませんが、独りよがりだったり、単にツライだけということもありえます。煮詰まったときには、評価の尺度を変えてみてもいいのではないでしょうか。決まった学習目的や目標がある中等教育までのあいだは、こうしたことを教わらない気がします。

関連して、時間が評価基準や価値観を変えるということもありえます。例えば、ぼくは昔は子どもが嫌いでした。泣くとうるさいし、自分の仕事ができなくなりそうで怖かったからです。確かにいっときは研究者廃業か、と思えて絶望した時期もあります。子どもがうまれたのが20代後半と最近では比較的早く、「研究者の免許証」といわれる博士号を取る直前だったからです。

ワーカホリックで、一日中研究や執筆をしていましたが、まったくそれができなくなってしまい、当時は子どもの泣き声で集中力は端的に削《そ》がれました。

でも面白いもので、そのうち慣れていきました。子どもが泣いていても、それなりに仕事はできるし、バランスのとり方が見えてきました(むろんできなかったら、今頃、家庭は成立していなかったかもしれません……)。

それどころかしばらくして、価値観まで大きく変わりました。ぼくはもともとＩＴや起業で有名な大学から大学院に進み、10年近い期間を過ごしたので、ある種の自己責任的、競争至上主義的、優勝劣敗的価値観が染み付いていました。

あるとき、子どもを眺めていて、ふと思いました。「ぼくは運に恵まれ、比較的うまく競争社会も乗り切れているが、この子がそうでなかったら、ぼくと同様に運に恵まれなければどうなるだろうか」と。ぼくの仕事にも大きく関係するそれまでの自明に思えた社会観の転換でした。

仕事歴が長くなり、仕事の全体像が見えるようになってくると、本当に替えがきかないものについての相場観のようなものも身についてきます。幸か不幸か、仕事と労働者の大半は入れ替え可能なものです。そもそも職場が求めているのは、「あなたと同様の売上をもたらしてくれる人」「一定の指導能力、研究能力、教育能力を持った教員」であって、必ずしもあなたやぼくである必要はないのです。その一方で、子どもは親を選べません。彼ら、彼女らは一定の年齢に達するまで、明らかに保護してくれる存在を必要とし、替え難いのはそちらではないでしょうか。そう考えると、仕事で貢献するべきなのか、家族に重きをおくべきなのか、必ずしも優先順位は自明ではありません。

試行錯誤のなかで学ぶ

そういうことを考えるようになって以来、ぼくは相当程度、政治的、社会的な発言や立場を変えてきました。もちろんある種の環境変化への適応だったのでしょう。だけれども、これはひとつの試行錯誤でもあり、時間によって、ライフステージによって、価値観すら変わりうるということを実感した契機でした。

大学入学のときに考えているよりも、遥かに人生は長いということかもしれません。花形産業の所在も変わっていくし、自分のしたいことも変わる、大切なものすら変わりうるなら、何が正解かを模索する必要があります。

尺度が変わるなら、失敗も正解かもしれませんし、正解も失敗かもしれない。思った以上によくわからないのです。それに耐える力はやはり経験的に、試行錯誤のなかで磨くほかなさそうです。人生は振り返るには短すぎるし、ただ後悔するには長過ぎると感じます。

若い時期に早急な選択を迫るような最近の時代の感覚もありますが、だからこそ決められないときにはペンディングや先送りすら重要です。なにかを選ぶ、なにかを決めるということは、他の選択肢を捨てるということでもありますが、そうはいってても決められないものは決められないので、次に好機が訪れるまで耐え忍ぶのです。決断を迫られるときはすでに追い込まれていますが、そういう状態で選択してもロクなことがないことは少なくありません。

実際、今の大学生活はかつてより難しい状況に置かれています。家計の経済状況は悪化し、学生諸君は学費の工面も考えなければならない。「教育の質保証」を謳《うた》いながら、大学は授業時間や期間、評価の厳格化によってキャンパスに学生を縛り付け、社会や企業は「多様な経験」や「キャンパス外の学び」を重要視する風潮もあります。支離滅裂といわざるをえず、難しい環境です。そのなかで読者各位が「正しさ」の自明性と決別し、多様な選択と試行錯誤の学びに開かれた、豊かな大学生活を送ってほしいと願っています。

What one learns at university

僕は大学時代，何よりも旅から学んだ．

中野民夫

1979 年ネパールにて
撮影：中野民夫

一人旅への旅立ち

僕は大学時代、何よりも「旅」から多くを学んだ。

一浪を経て、ようやく大学に入ったものの、1か月でこのまま大学に行っていてはダメだと思い立ち、旅を始めた。人生の意味や社会の理想について真剣に探究したいと期待していたのに、大学の現実は大教室での一方的な講義。同級生とも問題意識が合わず、ひとり浮いた。人生や社会についての真剣な対話を求めて寮に入ったが、学生運動の残り火が内ゲバの不毛な争いになっていて幻滅《げんめつ》。それまでも受験など受身的な人生を強いられていたが、「もっと主体的な人生を始めなければダメだ」と思いつめた。

中古の原付バイクを手に入れ、北へと走った。佐渡島で田植えを手伝って泊めてもらったりしながらゆっくり北海道まで行った。様々な出会いがあり、国内だけでなく海外にも旅してみたいと思い始めた。まだ海外が遠かった時代だ。

その頃、大学で唯一「おもしろそう」と思って少人数ゼミに登録していた見田宗介《みたむねすけ》先生が、

『気流の鳴る音』（真木悠介《まきゆうすけ》著、筑摩書店、1977年）という本をペンネームで出版した。自分の狭い「世界」を解放していくために、異世界に出会い自己解放の旅へと誘《いざな》う文章に勇気づけられ、夏には正式に休学した。新聞広告で探した浜松の工場で期間工として働き、2か月ほどで50万円を貯め、台湾、タイから東南アジアへと寝袋とわずかな着替えを持って旅立った。台北空港で「安いホテルを紹介して」と尋ねると1泊わずか1・5ドルの安宿を紹介してくれ、世界中を旅しているバックパッカー達に出会い、一気に旅人《たびびと》の仲間に入った。インターネットはもちろん、『地球の歩き方』などのガイドブックもまだ出ていない時代で、口コミを頼りに毎日が冒険だった。

台湾から香港、そしてタイへと片道切符で飛んだ。そこからは陸路でマレーシア、シンガポールへ。70年代のアジアはまだ経済成長前で、本当に素朴かつワイルドだった。安宿と地元のバスや鉄道で人々に触れ、恐れや驚きや感動が入り混じった日々を重ねた。インドネシア東端のバリ島まで約2か月かけて旅し、そこから空路でミャンマーに入った頃、体調がものすごく悪くなった。奥地のマンダレーという街で、下痢と嘔吐《おうと》が続き苦しんだ。ちょうど日本では自分の成人式の日だった。旅先の病床でひとり苦しく成人式を迎えている自分って何だろうと思った。

　でも、そこからかな、本当の自分の人生の旅が始まったのは。自分の意思で主体的に始めたことには手応えがある。思った通りにはいかないことだらけで、厳しい試練にも出くわす。でも人は試練を経て、ようやく成長する。自らチャレンジして遭遇する試練は、受けて立つしかない。そしてそこから何かが始まる。

　ミャンマーのビザは当時1週間限定だったので、宿の人にも世話になり這《は》うようにしてインドのカルカッタ(現・コルカタ)へ出た。そこは多くの物売りや物乞いがうごめく実に混沌《こんとん》としたハードな世界だった。医者を呼んでも、水道の蛇口から漏《も》れている水で注射器を洗って注射される始末で、一向に良くならない。

　さすがに心細くなって、日本を、家を思い出した。ゆっくりインドを旅し、ヨーロッパまで行って稼ぎながら旅を続け、いつの日かシベリア鉄道で日本に帰ろうという夢はもろくも崩れた。「自己解放」をめざした旅は、「自己解体」で終わった。ある夜、お守りの中に入れていた1万円札を使って、ヨレヨレになって羽田空港からタクシーで実家に帰り、両親を本当に驚かせた。

日々が新たな旅に

旅の間に、もっと世界の歴史や政治や文化のことを知りたい、もっと日本のことを知りたい、学び直したいとも思い始めてもいたので、4月から復学した。そこからはあまり「自己解放」などと力まず、少しリラックスして仲間と過ごす時間や授業など大学での日々を楽しむことにした。ワンダーフォーゲル部で登山など野外生活の技を鍛え、語学クラスの仲間と学園祭に向けて映画を作ったり、ゼミの仲間との交流を深めたり。

また西荻窪に今もある「ほびっと村」という、この社会の主流となっている考え方とは違うオルタナティブな世界を探究する人々の拠点を知り、そこで行われている様々な講座にもよく参加するようになった。世界を旅してきて視野が広く、ユニークな視点を持つ大人たちとたくさん知り合った。大学の授業よりずっとおもしろかったし、リアルな学びになった。大学の外の多様な世界に触れていくことは、同じ東京であっても貴重な旅だ。未知の異世界は遠くだけでなく、すぐそこにもあるのだから。

一度海外への旅を経験すると、もっともっと行きたくなる。バイトをしてお金を貯め、海外への旅も繰り返した。

やり直し1年生の終わりには、ワンゲルの仲間を誘って、インドからネパールに入り、ヒマラヤのトレッキングを試みた。シャルパ、ポーターも雇い、ランタン渓谷《けいこく》を4000メートルを超えるところまで2週間かけて歩いた。最後4200メートルを超えたところで僕は高山病になり、意識が遠のいて倒れてしまった。最初の頃は僕が歩くのが早く、皆を急《せ》かしていたのに、最後は皆に担《かつ》がれるようにして下り、一命を取り留めた。穴があったら入りたかった。

それまで「よーい、ドン」と競争が始まったら、スポーツでも勉強でも早くゴールにたどり着くように鍛えられていた。日本が高度経済成長に向かう時代で、速いことが価値になっていた。でもヒマラヤで倒れて、何かが変わった。雄大な自然の中で美しい光や風に包まれ、先へ先へと急ぐよりも、「今ここ」を大切に味わう、ということが少しわかった。〝Be Here Now〟(今ここにあれ)とは60年代からさかんに言われていたキーワードだったが、ようやくそれが少しわかるようになった。自分が思い込んでいる「世界」が止まり、未知の

〈世界〉が顔を覗《のぞ》かせてくれ始めた。強く求めても、かえってなかなか得られない。緩《ゆる》んだり壊れたりしたとき、その隙間《すきま》から何か新たなものが訪れる。

精神世界の旅人へ

ネパールの山里はチベット仏教の世界だった。自然が雄大で厳しく、平地がないので農地も少なく、わずかな作物と家畜と共に生きる素朴な世界。物質的にはとても貧しくても、石の寺院や碑があり、人々の祈りがあり、何かほっとする穏やかな世界が広がっていた。東洋の仏教や伝統的な世界にも、何か大切な教えがあるのではないか、と初めて思い始めた。その関心が高まり、2年生の後半に専門への進学を決めるときには、「宗教学科」を選んでいた。特定の宗教に興味があるわけではなく、むしろ既存の宗教は全くダメだと感じていた。特定の宗教を超えて人々が求めている宗教性、その頃使われ始めた言葉で言えば「精神世界」、その後「スピリチュアリティ」と言われる世界に惹かれ始めたのだ。

で、大学3年生の夏には3度目のインドに向かった。その頃、欧米や日本の若者たちに人気があったあるグル(精神的な指導者)のアシュラム(道場)に滞在し、様々な瞑想《めいそう》やセラピーやワークショップに参加した。途中のショートトリップを除いて50日くらい滞在したが、最後は彼の「弟子」になることがゴールではなく、彼の門を通り過ぎて旅を続けることが大事だと看破《かんぱ》した。また自分が他者や世界と深いところでつながりあった大きな存在であることにも気づき、「私にはお祝いが必要だ、南の海へ行こう」と気持ちよくそこを去った。が、次第に体が重くなり、尿の色が濃くなって、肝炎になっているのがわかった。ポンディチェリーという街で自ら病院に行って検査をしてもらい、やはり急性肝炎(A型)であることがわかって即入院となった。

「また満月が巡ってきたな」と病床から夜空を見上げながら、結局2か月半くらい入院した。特効薬がなく、黄疸《おうだん》の出た黄色いダルい体でベッドに横たわる日々。私にはまだお祝いは早かったのかと落ち込んだ。そんな病床で、ある日、ふと「企業に入ろう」という思いが浮かんだ。それまで「エコノミックアニマル」と日本の企業人が呼ばれたり、「過労死」がそのまま世界語になり始めたり、世界の資源と人材を収奪しているようにも見えた日本企業は、自分にとってはむしろ敵対する何かだった。けれども、その日、「瞑想や修行を通して少しは人と世界とつながって得るところがあったと言うのなら、これまで否定していた企業の中に入って、問題の企業社会を中から変えたら？」とでも言える発想が浮かんだのだ。

そして実際に4年で卒業すると、広告会社の博報堂に就職した。今どきの菩薩《ぼさつ》(悟りを求め自他を救おうと決意した存在)は寺や山の中にいるのではなく、ネクタイを締めなければならない企業などにこそいるのだ、と「ネクタイ菩薩」を自称して飛び込んだ。まあそんな若者の甘い思いは木っ端微塵《こっぱみじん》に打ち砕かれるほど、初任配属の大阪での営業職は辛いものだった。でも、ここで辞めたら中退だ、と思って頑張った。いつの間にか30年も勤めていた。

途中で休職して留学し、30代で修士課程で学んだ。多くの出会いがあり、それを元にプライベートで様々なワークショップをやるようになり、本も書いたりし始めたが、会社勤めは続けた。入社から30年にもなる頃、ふとしたきっかけから早期退職して大学の教員になった。今やるべきと思えることを一生懸命やっていると、ふとした瞬間に、新たな扉が開く。嫌《いや》だなと思っていると長引くが、夢中になってやっていると、思わぬ展開が訪れる。こんな人生を生きたい、と目標を掲げてめざすより、「今ここ」を大切にしていると、人生が私を通して生き始める。

余計なことしないで、何の人生か!

大学時代の旅の話に戻ろう。大学3年でほぼ単位を取り終えると、3月から9月までの半年間、アメリカから中南米を旅した。ペルーの首都リマに、当時、ペンション西海という旅人の拠点があった。西海さんという日本料理の板前さんが、包丁1本持ってペルーに乗り込み、日本大使館の料理人から叩き上げ、日本料理店を開き成功させていた。彼が自宅を開放して安く泊まれる宿として提供してくれていて、日本人の旅人が集まっていた。

ある日、西海さんが「誰か俺の代わりに車検に行ってくれないか? 問題ないからすぐ終わるし、宿代3日分タダにするよ」というので、すぐに手を挙げて引き受けた。翌日、車検場に行くと長蛇《ちょうだ》の列。止まったり動いたりしているうちにエンジンが焦げる臭いがして車の調子が悪くなってしまった。何時間も待って、ようやく検査の順番が来ると、チェックリストに幾つもバッテンを付けられてしまい、修理して出直してこいとなった。「問題ないからすぐ終わる」と聞いたのに、トホホの思いで戻り、夜遅く帰ってきた西海さんにスゴスゴと報告した。

「何だお前、あれ渡さなかったのかよ」と西海さん。当時のペルーでは当然だった心付けというか賄賂《わいろ》を少し渡せば、用はさっと済んだらしい。そんなことは知らない僕は、代わりの役が務まらなかった申し訳なさで泣きそうだった。そのとき、近くにいた年上の旅人が、「余計なことするからだよ」と僕をたしなめた。それを聞いて西海さんが猛然と怒り始めた。「お前、そんなこと言ってるから旅から上がれないんだ。余計なことしないで、何の人生か！」と。

ありがとう、西海さん。代わりに車検へ行けば3泊分の宿代が浮くと、さもしい根性で余計なことをしてしくじった僕。それをたしなめる人から僕を擁護してくれるこの言葉。「余計なことしないで、何の人生か！」という言葉には打たれ、やっぱり泣いてしまったよ。西海さんはその後しばらくして亡くなってしまったが、この言葉は僕の中にずっと残っている。そして、ずいぶん余計なことをして、ずいぶん思いがけない出会いに導かれ、ずいぶん楽しく充実した人生を送らせてもらっています。あれから40年近く経つけれど、思い出すたびに、西海さんには感謝している。

旅から何を学べるのか

「大学でなにを学ぶのか」という本書の問いかけに、僕は「旅から」多くを学んだ、と旅の話をしてきた。では、旅から学んだことは何なのか？

1つは、体験を通して「世界」が広がった。今やインターネットで調べれば、大抵のことはわかる。いや、わかった気になれる。だけど、実際に現地に行かないとわからないことはたくさんある。空気感、人々の表情、街のにおい、食べ物の味や辛さ、人の怖さと優しさ、文化の違いと奥深さ。ネットの文字や映像からだけでは感じとれないたくさんのことを、頭というよりは生身の体や心や直観を通して体験する。その繰り返しの中で、自分がこれが「世界」だと思っていた世界はガラガラと崩れ、更新されていく。「世界」はどんどん大きく深くなり、何かを知れば知るほど知らないことがたくさんあることがわかり、人は謙虚になる。

2つ目には、旅は自己決定の連続なので、自分で考え、自分で判断し、自分で決める力が身につく。どこへ行くか、何に乗るか、どこに泊まるか、この人は信頼できるのか否《いな》か、この道は行くべきか否か、一人旅では常に選択を迫られ、ライブで判断し続ける。出会いや感動は危険と背中合わせで、安全ばかりを選んでいたら旅にならない。でもなんでも安全であるわけはなく、それを見極める力が鍛えられる。この自己決定力は、その後の人生でも力強い軸になる。特に先の見えにくい現代、新たなことにチャレンジし続ける勇気、未知の展開をおもしろがれる余裕は、人生を豊かにするためには欠かせない。

3つ目は、好奇心と世界への想像力、愛が育まれる。知らない街へ行って、好奇心を持たず、安全ばかりを気にしていたら、何も起こらない。何かおもしろいものはないか、とアンテナを張り巡らせ、気になることについていく中で、様々な人やコトへの出会いが始まる。尽きない好奇心こそが未知の世界を無限に楽しむ原動力なのだ。そして、体験の積み重ねから、こういう時はこうなることが多い、という想像力が自然と育まれる。また実際に見聞《けんぶん》を深めておくと、日々のニュースや仕事などで、どこかの国や街のことが話題になったとき、その世界をリアルにイメージできる。イマジネーションにも、元になるリアルな体験が必要なのだ。そうしたリアリティに基づくイマジネーションは、自分がこれが世界だと思い込んでいるこの世界を、より豊かに解き放っていく。この世界の一切《いっさい》が、自分も他者も自然も生きとし生けるものも、それぞれがかけがえのない輝きを持って瞬《また》き始めるとき、全存在への愛が生まれる。それは自分の人生を豊かにするだけでなく、持続可能な社会が求められる時代に必要な、根源的な世界観になる。

「何を」学べるかなど、正直わからない。人によって違う。でも、「旅」には必ず何かある。目的なんかいらない。1年や2年遅れたって、生涯を通して輝き、互いに響き続けるたくさんの宝、タネが得られる。だから僕は旅を勧める。良い旅を！

What one learns at university

アメリカでの学び，日本での学び

木山 ロリンダ

30年にわたる大学との関わり

私は25年以上日本に住んでいるアメリカ人です。

中学1年の時、友達と別れ、涙を流しながら家族と共に日本に引っ越しました。そして高校2年が終わった頃、今度は逆に日本を去る涙を流しながらアメリカに帰国しました。絶対にまた日本に住もうと決心し、ニューヨークのコロンビア大学で日本語と日本文学を勉強しました。大学2年を終えたところで1年間休学し、日本の文部科学省の奨学金を得て熊本大学に留学することができました。数年ぶりに日本に着いた時、私は最高に幸せだと感じました。

私は30年間にわたって大学に関わってきました。これまでに所属してきた大学は10校にのぼります。5つはアメリカ、5つは日本の大学です。そのうちの7つの大学では学生として学び、3つは教員として大学院生のティーチング・アシスタント、非常勤講師、専任講師、准教授、学生相談員などを務めました。女子大学は1つ、9割が男子学生という大学は1つ。

地方の大学は1つ、大都会の大学は4つ、郊外の町にある大学は3つ、また主にオンライン(通信制)大学は2つです(完全な通信制ではなく、レジデンシーという集中講座をアメリカまで何回か受けに行かなければならなかった大学が1つです)。私立は7つで公立は3つ。在籍者がわずか100人から数万人という大学まであり、外国人は私だけというところもあれば、日本人と外国人が半々の大学と、日本人がほとんどいない大学もありました。

学生として大学に携わっている間、私の立場も変わりました。アルバイトをしながらの学生、留学生、フルタイムで働きながらの社会人学生、そして働きながら子供を2人産み育てながらの学生生活を送りました。実に多様な立場と環境でした。それらの経験をもとに、さまざまなエピソードを紹介しながら、私が大学で何を学んできたか、何が学べるか、少し述べたいと思います。

日本での留学生活

日本に留学する時、どこの大学の何学部に留学するかは、文部科学省が決めました。東京に住んだことがあった私は熊本大学文学部で民俗学を学ぶことになりました。私にはぴったりの学問分野でした。

10月から始まった授業に私がついていけるように、民俗学研究室の先生たちは柳田国男や折口信夫などの民俗学者の研究と理論について1対1で特別に講義をして下さいました。日本の風習や伝統的な暮らしや思想について、丁寧に教えていただいたことは忘れられません。

数年後、私は日本の大学で教える立場になりましたが、留学時の先生方を模範として、一人ひとりの学生の学びを大事にしたいと日々努力しています。

熊本大学で講義を理解するのに苦労していた私を、先生方が研究者の卵として扱って下さったことが未来の研究への熱意につながりました。指導教授の平田順治先生は留学期間が1年間しかない私に、早くから研究プロジェクトを見つけて詳しく調査をするように指導をして下さいました。私は熊本における神事の「能」について調べました。能は年中行事の一部として、野外の舞台で地域住民によって奉納されます。調査方法を勉強しながら実践し、そして結果をまとめて伝えるための訓練は厳しいものでしたが、大変充実していて幸せな日々でした。

数年後、アメリカ政府のフルブライト奨学金を得て、博士課程の大学院生として名古屋大学に留学しました。指導教授の阿部泰郎先生も1対1で特別な講義をして下さいました。研究チームに加わり、名古屋付近や比叡山の麓《ふもと》のお寺の古文書《こもんじょ》を蔵から探し出し、写真を撮り、書かれている内容を読み解こうとし、目録を作りました。

湿気と虫食いでボロボロになっていた書物から鮮やかな世界が浮かび上がるたびに、その面白い箇所を発見した人が歓声をあげ、躍り上がって、皆に知らせてくれました。過去の人間の営みを尊重し、理解しようとする姿が素敵でした。人々の歴史が記された記録を丁寧に扱い保存すること、また真摯《しんし》な好奇心を持つことは現代社会における人間関係の在り方を考えるうえでも重要なことだと思います。

アメリカでの大学生活

アメリカの大学生活は日本と多少違う側面があります。コロンビア大学はニューヨークのハーレムとスラム街の近くにあるため、学生の多くはボランティア活動に励んでいます。社会福祉活動を目的とするサークルが多く、私はホームレスのサポートやスープキッチン、目が不自由な一人暮らしの男性の生活支援、移民のサポート、高校生の放課後学習サポート、一人暮らしの高齢者の詩集の編纂《へんさん》などやってきました。

英語には「社会人」という概念がありません。大学生は子供ではなく、社会のなかでの役割を果たす立場にあって、むしろ恵まれているからこそ社会活動に従事し、社会に還元しなければならないという認識があります。大学とその近隣にある地域社会は密接につながっていて、学外の方々から社会の仕組みや人生について貴重な学びを得ました。

アメリカでは、大学の寮に住む学生がほとんどです。たとえ自宅がキャンパスのそばにあっても、少なくとも1年間は寮に住まなければなりません。なぜかというと、文化や家庭環境の異なった学生と共に暮らすのは良い人間になるために必要不可欠な訓練だと思われているからです。親から受け継いだ文化が、そのまま自分のアイデンティティになるとは限りません。異なる文化的な背景を持った人々と暮らし、ぶつかり合いを通して自らのアイデンティティを確立していきます。寮では一人部屋は極めて稀《まれ》で、できるだけ生い立ちの違う学生と生活を共にすることが求められます。北ヨーロッパ系の私はアフリカ系アメリカ人、ユダヤ人、そしてヒスパニック系の女性と同じ部屋で1年間過ごしました。本当の意味での寛容と共存を寮で学べたと思います。

さらに、カリフォルニア州にあるスタンフォード大学で大学院生活を送りました。そこでは、自立と持続可能な共同生活を目指しているいくつかの寮に入りました(毎年寮が変わります)。経験や才能の有無にかかわらず、寮生には必ず何かの当番が任されていました。みな料理をしなければなりませんでした。毎晩、翌日の朝食のパンを、異なる学生チームが生地から作りました。自分の好きな食べ物を皆の夕飯の献立てに加える機会は、少なくとも1回は全員に回りました。

毎晩一緒に食べて、皿洗いも学生自身がやります。寮の庭に野菜畑をつくり、地域の農場から食べ物を買い、食べ残しを腐葉土《ふようど》にする責任もありました。皆で役割を分担し協力し合わないと食べられない、その実りを皆で味わうのです。時には失敗を味わいながら、研究に専念し、将来のために豊かな人間関係を築き、自らに責任を持つことの大切さを教わりました。

教養教育の意味

アメリカの大学では、入学した時点では学部も専攻も決まっていません。コロンビア大学のコア・カリキュラムという教養教育では、博士課程の大学院生を先生とし、2年間、少人数クラスで長篇の古典を毎週1冊完読し、深く議論した後、エッセイを書きます。必修科目の世界の美術史と美術理論、音楽史と音楽理論も同じで、決して楽な科目ではありません。たとえ技術者になるつもりでも、プラトンや孔子を読まなければなりません。

それは、無駄な時間でしょうか。いや、そうではありません。哲学や文学を通して、複雑な問題について考えられる人間になるからです。正解が明確でない世の中に慣れるために古典を読むのです。教養教育とは一般知識を身につけるのが目的ではなく、論理的に分析する力、そして説得力をもって人に様々な可能性を伝える能力を身につけることが目的です。過去の思想を学ぶことなく自分の意見のみを主張するのは浅薄《せんぱく》な行為だと教わります。

教養教育には多様な選択科目があります。私は今、東京工業大学の大学院で Japanese Poetry(日本の詩)と Classical Japanese Noh Theatre(能楽入門)という2つの授業を担当しています。英訳された『万葉集』の長歌《ちょうか》から現代の俳句まで、原文と照らし合わせながら読み、背景や技法を勉強し、広く味わいます。日本人学生が4分の1で、4分の3は留学生です。母国の詩と比較し、最後に日本の詩の形式にのっとって新しい詩を詠《よ》み、発表します。日本文化を外から鑑賞するだけではなく、その流れに飛び込み、創作的に参加するのです。

能の授業も同様で、最後の課題は英語で新作能を作ることです。能の形を守り、たとえばバングラデシュにおける若いお嫁さんの過労や飢えや死、エジプトにおけるインターネットの検閲と罰則など、学生に近いテーマで新しい能が生まれます。

グループで一番好きな脚本を選び、最後の授業で演じます。能は日本独特の文化ですが、現代の問題について考える普遍的な機能を果たせる心理劇でもあることを学びます。昔の文化が今も生きていることを感じさせるために、俳句や小鼓《こつづみ》の先生に来ていただくこともあります。3つの大学では、能の部活ができ、学生が仕舞《しまい》を舞い、謡曲をうたう喜びを体験しました。日本の文化が絶えないように外国人に教えなければならない、と何人かの能の先生から言われたことがあります。

目標を立て、一歩ずつクリアする

新作能や日本風の詩などを書くのは楽しいですが、修士論文や博士論文の研究テーマを自分自身で見つけるのは大学で一番難しい課題かも知れません。毎年、学生相談室にその悩みを抱えている学生さんが現れます。試験勉強なら立派にできても、誰もやったことのない何かを調べるとなると、自信をなくしたりパニックになる人もいます。博士レベルでは教員が指導できないほどの専門的な知識を持つのが目標となります。小学校から高校までの十数年間の学校生活で、与えられた課題を丁寧にやり遂げることだけに力を注いできた人にとって、この変化はショックに感じられることもあるようです。大学院生になる前に、大学の内外で自分の研究の道を探る段階を少しずつ踏んでいって欲しいです。

大学のライティング・コースで初めて自分が書いた文章に細かく添削《てんさく》を受ける学生が多いかも知れません。フィードバックに慣れていなければ、びっくりし、傷つく可能性があります。なるべく早くから自分が書いたものを多くの方に読んでもらい、客観的に評価してもらうようにお勧めします。オンライン大学の授業では、受講生は自分たちが書いたエッセイやレポートを互いに見せ合う必要があります。他人の文章を分析し、それについて質問をし、助言をし合います。それぞれが書いたものを読んだうえで最終的に仕上げるということが普通でした。つまり、エッセイを書いた後の作業が大変ですが、実は、教員のコメントよりも、学生からのアドバイスの方が役に立つことが沢山ありました。やりっぱなしの課題からはほど遠い、教え合い、学び合いの授業でした。

オンライン大学教育のもうひとつのメリットは、博士論文執筆のような膨大《ぼうだい》な作業の進み具合を他人にチェックしてもらいやすいように、小さな目標ごとに公開できるところです。ほとんどの人はひとつひとつのステップをクリアしていくことなく大きな課題を達成することはできません。オンラインだと、日々の目的が達成できたかがはっきり見えます。

人生のどの分野においても、小さな目標を立てて、その進み方を公にし、その都度、誰かにチェックしてもらえると成功する可能性が高まるでしょう。特に大学院で研究に集中している時は孤立しやすいですが、study buddy（勉強の友）を見つけ、人とのつながりを大事に保ちながら頑張った方がいいでしょう。

昨年から、私はCreative Discussion（創造的な議論）という新しいリーダーシップ教育院の授業を担当しています。対立している人とどう向き合って話し合えるかがテーマです。

私はカウンセリング心理学の博士課程を修了した後、オレゴン州ポートランド市にあるプロセス指向心理学研究所の集中講座に参加しました。5週間、毎日、朝から晩まで40人の様々な国の人たちと過ごしました。一緒にいる時間が長くて濃い時間であったため、当然ぶつかり合いも起きました。

そういった摩擦を題材とし、グループワークを学びました。どのシステムでも役割が固まってしまいがちですが、人は固定化した役割を演じているわけではないことを確認しました。両極端な立場から対立している人たちに相手の立場と気持ちを分かって感じてもらい、互いに理解し合うように導く方法を練習し実践してみました。

また、リーダーの腐敗防止、力(パワー)には様々な種類があることを認識し、肩書と関係のないノウハウ、自信、社会的なつながり、困難を乗り越えるレジリエンスなどの力があることを意識し勉強しました。無力に感じても、決して無力ではないことに気づかされました。

Creative Discussion では、内面的な葛藤《かっとう》の解決方法から、生まれ育った家族と学校における問題解決方法を分析します。そして、コミュニティ・レベルでの大きな問題対策と解決の実例を詳しく見ていきます。憎み合っているグループの対立の歴史を一緒に辿《たど》り、共有しているニーズに気づいてもらい、一緒になってひとつのゴールに向かって動いてもらう方法を学びます。最後に、学生は大きな社会問題を取り上げ、その背景を調べ、様々な立場や角度から分析をします。そうしているうちに、それまでは改善できる希望がないと感じていた問題に対しても、よい方向に動く余裕がまだあることが分かります。学生の限られた知識と経験でも、極めて悩ましい問題に影響を与えることができます。

大学生として人生にめげない経験をし、人間関係、ソーシャルネットワークを築き、人生の道具箱を持って大学を卒業してくれたら、私は嬉しいです。

What one learns at university

学びの海の羅針盤

——関心を広げ，味わいを深める読書のすすめ

山崎太郎

川を下って海に出る——高校から大学へ

大学に入り、受験を突破した歓びもしだいに薄れる時期、さて、これから自分はどういう種類の勉強をしたらよいのだろうと、戸惑いを覚える人も多いでしょう。

喩《たと》えていえば、高校までの勉強は河のようなもので、川幅や支流の有無はそれぞれに違うものの、行きつく方向は大学を受験して合格するというゴールが明快に示されていました。自分の解答についても正解・不正解がはっきりと出るし、偏差値や順位が示され、他人との比較のなかで、自分がどのような位置にいるのかについてもかなりの程度分かります。

それに対して、大学での学びは茫洋《ぼうよう》とした海のようなもの。与えられた問いについて正解を言い当てるのではなく、自分で問いを立て、それを様々な角度から考えることが求められます。授業ということに限定しても、正解や点数がはっきり示されるものばかりとは限らないし、多くは選択科目で、各自がそれぞれ自分のニーズと関心に合わせて、学びたい科目を選び取ることになります。つまり全員が同じスタート・ライン上に並び立つわけではないし、だとすれば、他人と自分を比較することもあまり意味をなしません。

したがって、自分は何をやりたいのかを軸に据《す》えた主体的学びの必要性が強調されるわけですが、そのように言われても、どこからどう手を付けて、どこを目指して進んだらよいかも分からないと感じる人は多いでしょう。

もっとも、(専門課程に進む前の入学直後は特に)大教室で先生の講義をひたすら拝聴することが多かった私の学生時代と違い、今の大学はアクティヴ・ラーニング形式の授業やTOEFL・TOEICなども取り入れた英語力の数値的測定など、学生の側の積極的学びを促すようなカリキュラムがかなり緻密に組まれてはいます。また、シラバスにも、この授業を履修《りしゅう》すれば、かくかくしかじかの必要な知識や力量をつけることができるというゴールが明記されていたりもします。

そうなると、各自は大学側の組んだ教育プログラムのラインにある程度乗っかって進んでゆけば、大学生として必要な学びを満たして卒業できるということに一応はなるでしょう。にもかかわらず、私が強調したいのは、あなたの大学での学びを、授業に出て、課題をこなすことに限定して考えないでほしいということです。

点数と単位を稼ぐためだけであれば、それなりに要領のよいやり方があるでしょう。サークルの先輩や同級生の口コミによるネットワークから、単位を取りやすい科目・教員、試験対策等についての情報を手軽に仕入れることも可能です。しかしながら、大学での勉強を、授業に出て、よい成績をおさめるという目標に限定しても、自分は今、何を何のために勉強するのかという学びへの自覚を伴わない限り、大学時代は就職への単なる通り道となって空洞化するでしょう。

学問の豊饒・知の歓び

大学というものが生まれたヨーロッパ中世の昔から現在に至るまで、大学は学問の場であり続けています。授業やカリキュラムはあくまで皆さんを学問の世界に導くためのきっかけや入り口にすぎず、その先にこそ味わい深く豊饒《ほうじょう》な知の領域が広がっていることを、ぜひ自分自身の学びによって体感してください。

学問という言葉はいささか堅苦しく響くかも知れません。しかし、どのような学問も、あなた自身とあなたを取り巻く世界を対象とするものであり、その意味であなたの興味や関心に何かしら結びついているはずです。細かく分かれた学問分野のいずれも、アプローチや方法論は様々に異なるものの、人間とは何か、人間の営みとはどういうものか、人間を取り巻く広大な自然界はどのような仕組みで成り立っているかを極めようとする探求心を出発点としています。学問とは知への欲求に取りつかれた幾多の先人の仕事の積み重ねの大きな実りであり、皆さんをそのような知的探求へとさし招くものなのです。

そもそも学びとは、何かの役に立てるという目的のためではなく、それ自体に意味や意義があるから行なうものだと私は考えます。新たな知識を得ること、あることについてじっくり考えることの楽しさと面白さ、そのことを通して自分自身がわずかずつでも階梯《かいてい》を上り、一段高い認識の地平に立つことの歓びとでも言えばよいでしょうか。

味わうことの大切さ——本来の意味と目標や結果との取り違え

「何かの役に立つから～する」という考え方に対して、私は常日頃から疑問を抱いてきました。逆に訊《き》きたくなるのですが、役に立たないことはやる意味がないのか？　この考えを突き進めていった末に出てくるのが数値主義や効率至上主義です。もちろん数値によって成果を測ることは大事ですし、物事をなるべく効率よく進めようという思考が人間の能力や文化・文明を発展させてきたことも否定するつもりはありません。しかし、数値や効率が自己目的化し、一人歩きをしたとき、それはしばしば人間性の根幹、つまり人はなぜ、何のために生きるのかという意味そのものを突き崩す危険があるのではないでしょうか。

そもそも、世の中では多くの事象について、本来の意味や意義と、とりあえずの目標や目的そして結果が取り違えられているような気がしてなりません。

「食事」を例として挙げましょう。

「人はなぜ、何のために食べるのか？」と言えば、もちろんまずは生きてゆくための栄養・エネルギーを体内に取り込むことが究極の目的と考えられるでしょう。しかしながら、個人にとっては食べることの意味はそれだけに限定されないはずです。エネルギーを体内に取り込むことを突き詰めて合理化・効率化すれば、将来科学が大きく発展した場合、カプセルのようなものを何錠か飲めば、それで十分ということになるかも知れません。それによって料理をするという労力も、食事にかける時間も、大幅に短縮されるわけですが、そんな未来が実現することを心の底から望む人間はまずいないでしょう。それはなぜか？

食べるという行為から、おいしい料理を味わうという要素がなくなれば、食事の時間は文字通り「味気ないもの」になり、私たちから生きる歓びの幾分かは確実に失われます。それだけではなく、錠剤による効率的エネルギー摂取は家族や友人と食卓を囲み語らう貴重な時間をも奪うことになるでしょう。

これは一つの例にすぎませんが、何かを「味わう」という要素がなければ、私たちの人生から人間らしさは失われるのです。逆に、人間は「味わう」ために生きていると言ってもよいでしょう。

そして、さらに言えば、何かをしっかりと感じ、味わうためには、ある程度の時間の長さというものが必要になります。食の世界でも、ファストフード化の傾向に異を唱える「スローフード」という思想が出てきました。その考えにのっとるならば、食事が心身の栄養となるのは、「時間をかけて味わう」という行為がおのずともたらす結果なのです。

こうした視点は、ＡＩの機能が発達し、人工知能が人間の生の領域を様々に侵食しようとしている現代においてこそ、ますます重要になってくるはずです。味わうという行為のうちに発揮される感情の働きや情緒の醸成《じょうせい》こそは、人間にあってＡＩにはけっして届かない領域だからです。そうした人間ならではの営みを代表するものとして食を例に挙げたわけですが、より広く人間の知的活動・学問全般を考えるうえでも、「味わい」という視点は大切になるでしょう。あなた自身に具《そな》わったこの人間独自の能力をどう育み、伸ばしていったらよいか、大学での学びの出発点において、そのことを少しでも考えてほしいと思います。

今を生きることで、将来は見えてくる

役に立つ／立たないということも、本来は長大な時間を視野におきながら測ってゆく必要があるでしょう。世の中の流行という現象を考えれば分かることですが、すぐにその効用が見え、誰にでも語ることのできる「役立つもの」は往々にして底が浅く、賞味期限も短い。長い時間をかけて、ようやく見えてくるものこそが、人間にとって真の栄養になるのです。

大学生であるあなたの現在と将来の関係についても、同じ考えを当てはめることができそ

うです。つまり自分が将来、何になるのか、どんな仕事をするのかが今見えていなくてもかまいません。むしろ順序は逆で、まず自分が今どんなことに興味があるのか、何がしたいのかを見つけること、それを一生懸命突き進めた先に初めて明確な目標が現れるのです。

「将来の仕事」というテーマに向き合おうとしたときに、よく言われるのは、自分がほかの人や社会のために何ができるかを考えなさいということです。しかしながら、大学時代から、人の役に立ちたい、社会全体の幸福のために貢献したいと思っている人は恐らく少数ですし、心からそう感じることなしにそのような言葉を口にしても、どこか優等生の建前論《たてまえろん》的な印象は否《いな》めません。

他人や社会という視点を別に否定するわけではありません。今現在の自分の興味を突き進めて、それが仕事になる場合、必ず自分以外の人々であるとか広い社会との結びつきがどこかで出てくるはずですが、最初から自分の興味や関心と社会との関係を考える必要はありませんし、パッと見て社会の役に立ちうることだけを自分の将来の希望や大学での学びの対象として選択する必要もありません。こうした視点はけっして自分が最初に掲げる目標・目的である必要はなく、いずれおのずと結果としてついてくる要素なのです。

読書で磨く言葉の感覚

では授業に限定されない主体的学びをどう始めればよいのか？　平凡な答になりますが、迷える大学生にまずなすべきこととして何よりも強くお勧めしたいのは本を読むこと、徹底して読書の習慣を身につけることです。

理由の一つは、本を読むことを通して、今後どのような知的作業においても必要になる言葉の感覚がおのずと磨かれてゆくからです。

この世界でどのような仕事に就こうと、人間の営みのよすがとなるのは言語であり、日本の社会においては、それはまず何よりも日本語の運用能力ということになります。自分で何かを突き詰めて考える際にも、人間は基本的に言葉を用いて、考えを煮詰め、絞り込んでゆくものです。そして自分の考え、意見を世の中に発信する際にも、その媒体となるのは言葉なのです。研究者が書く論文や学会での発表、会社での会議やプレゼンテーションの資料、あるいはビジネスで自分が売ろうとしている商品のよさを説明するとき。このように言葉を使わなければ成り立たない状況は、文系・理系を問わず、あらゆる仕事で現出します。

大学教育の課程では多くの授業でレポートを提出し、さらには卒業論文を執筆するなど、書く訓練が多く課されるはずです。また、アクティヴ・ラーニング系の授業、とりわけグループワークのなかで、相手の言ったことを理解し、自分の考えを言葉で周囲に伝えるコミュニケーション能力も培われるでしょう。さらには国際共通語としての英語の運用能力が卒業要件として求められる大学も多くなっています。

とはいえ、話す・聞く・書く力にしても、すべての基礎となるのは読解力であり、それは何よりも日々の読書によって培われるものです。いきなり自分の考えを文章にしなさいと言われても、何をどう書いたらよいか分からず途方に暮れる人は多いでしょう。しかしながら、読書の習慣が身についていれば、まずは読んで理解することから日本語の訓練をすることができます。そのうち気に入った文章を書き写す、本の内容を（全体ではなく部分でもよいので）要約してみる、感想を書き記す、など徐々に読むことを書くという行為にも広げてゆくことで、自分で文を練り上げることが億劫《おっくう》でなくなり、文章力が身についてゆくのです。

読書の効用――外の世界に広がる興味

読書の効用はそれだけではありません。先ほど、私はこう書きました。社会とのつながりは、好きなことを突き進めた結果、おのずと見えてくるものだと。その際、読書こそは自分の興味の対象を見つけるための入り口であると同時に、その興味を深く掘り下げつつ、自分の関心をさらに外の世界へと大きく広げるための回路となるのです。

最初の手がかりは何でもよいと思います。天体でも遺伝子でも、あるいは何か工学的発明でも、自然科学に興味を感じている人はまずはその分野の本を読み始めればよい。ある小説を読んで感動した人は、その作家の小説を全部読んでみるとよいでしょう。

興味や関心の対象が、すでに自分がこれまで重ねてきた体験や自分自身が日常感じていることのうちに見つかる場合もあるでしょう。例えばですが、中学高校時代にいじめを経験したり、あるいは今現在も周囲に溶け込めない生きにくさを感じているようだったら、それを自分の学びの対象にして、追求してもよい。なぜ自分は生きにくさを感じているのだろう？　原因は自分自身か、それとも周りの環境や社会の側《がわ》にあるのか？　生きやすい世の中を実現するためにはどうしたらよいだろう？

こういった問いへの答を考え詰めてゆくうえでも、読書は絶好の入り口になるはずです。自分と同じような体験や心理を描いた小説があるかも知れないし、あるいは哲学、心理学、社会学の本に、自分の考えるべき問題がより抽象化され、普遍化されたかたちで出てくるかも知れない。つまりは一つの問いに対しても、実に様々な分野がそれぞれのやり方で多種多様な答を与えてくれるということです。

読書のよい点は、いざ読み始めて、それが面白いと思ったら、そこからさらに次々と別の本を読んでゆくという視点の広がりと関心の深まりがもたらされることでしょう。多くの本はその一冊では自己完結せず、他の本の引用であったり、言及・紹介であったりというように、外への窓が開いています。その導きに従えば、芋づる式に自分が次に読むべき本、読みたい本が目の前に現れるでしょう。同じ分野の複数の本を読み込むことで自分の考えや関心をより深めることもできるし、あるいはジャンルを横断するように興味や知識を他の分野にまで広げてゆくこともできるわけです。その結果、自分が手にとった最初の一冊は物理の宇宙論であったのに、結局、本当に追求したいこととしてたどり着いたのは哲学の時間論であったということも起こりうるかも知れません。

すべての学問分野はつながっている

このように自分なりの興味を深く追求する読書は同時に自分の関心の思わぬ広がりをもたらすものですが、一つの分野に限定されない読書によって培われる広大で深遠な関心領域こそは、あなたが大学で手にすることのできる大きな実りの一つです。

異なる学問分野がいろいろなところでつながっている様は、実際に仕事をしてゆく過程で見えてくるでしょう。例えば、(先ほど例に挙げましたが)物理学における時間と空間の問題を考え詰めれば、哲学との接点が出てきます。あるいは法学にしても教育学にしても経済学にしても、人間の心理への視点・洞察が最終的には仕事の決め手になる。そしてまた工学の分野もしかり。例えば自動車の製造を考えてみてください。ハンドル、ブレーキ、ミラーなどの自動車のメカニズムは、結局、人間がそれをどう操作すれば、事故を起こさず安全に運転できるかという認知科学や脳科学さらには心理学の視点なしには成り立ちえません。また建築学でも、建物は人間が住むものですから、人間の志向や美的感覚など美学・芸術学の視点が必要になるのです。サービス業ももちろん経済学と並んで、人間の心理への洞察抜きでは成果も挙げられないでしょう。また医療においても、医療機器といった機械工学の分野や身体に関する知識と治療の技術・処方という医学・薬学の分野の知見に加え、患者のケアという面では心理学をはじめとする文系的視点も必要になってくるはずです。

このように世の中にある仕事の多くは、分野ごとに截然《せつぜん》と切り分けられるわけではなく、多くの要素や視点が複雑に絡まっているのです。その多くは人間個人や人間が集団として暮らす社会を対象とするものですから、人間の心や行動・生態への洞察と理解がなくてはなりませんが、それを考える道筋も実に多様です。例えば文学作品を読むこと、歴史を知ること。文化人類学、宗教学、民俗学などの諸分野も、すべて人間の(社会)行動を考察するものです。一方、生物学・動物行動学から人間を考えるアプローチもありうるでしょう。要するに、すべての分野は広い視野で見れば、どこかでつながっているということです。

もちろん、こうした広大無辺の学問領域を一人の人間が渉猟《しょうりょう》・踏破《とうは》することは不可能です。重要なのは、個人個人はある特定の分野の専門知を極めようとしながら、それでも外に広がる様々な分野が、今自分が取り組んでいることとは無関係であるとして切り捨てるのではなく、どこかで結びついていることを視野の内におさめて、尊重すること。そのような認識の段階に至ったとき、初めて、(たとえ即効性や分かりやすい効用が今は見えなくても)この世の学びのうち、役に立たないことなどないということが実感できるわけです。ですから皆さんも、まずは自分が興味を感じることを追求しながら、徐々にでも、そのようなつながりの糸を発見し、外に広がる総合的知の領域を感じ取ってゆければよいでしょう。読書はその認識に通じる唯一無二《ゆいいつむに》の道なのです。

What one learns at university

身体の弱さと強さ

林　直亨

身体を知る

身体を理解しておくことは重要です。どんな分野での活躍を目指すにしても、自分の身体は土台となります。普段の身体の調子を知り、不調にならないような生活を送り、もし不調が起きたらそれを早く察知し、適切な対応ができるようになれば、医療にあまり頼らずとも自由な生活を送れるでしょう。

社会に出ると学校や予備校の授業で、身体について教わる機会はなくなります。ネットから様々な情報を得ることはできます。ですが、根拠のないことが書いてあるページも多くあるので、鵜呑《うの》みにはできません。

学生のうちに、保健体育、生物などの教科書から知識を獲得し、それを応用できる素地《そじ》を作れば、身体について正しく理解できます。さらに、数字を使って妥当性を検証できるようになれば、より正しく考えられますし、他の事象との比較もできます。そのためには物理、化学の知識が必要になる場合もあります。

私は大学でウェルネス科目(高校までの保健体育に近い)を担当し、ヒトを対象にした生理学の研究をしています。ウェルネス科目も生理学も、身体の理解が目的という点は似ています。ここでは、社会に出る前に学んでもらいたい身体のことを考えてみます。高校や大学で学ぶことが、身体の理解と多面的に関与していることを実感してもらいたいと思います。

ヒトの身体能力の貧弱さ

一流スポーツ選手の高い身体能力には感動します。ところが、他の哺乳類に比べるとヒトの身体能力はとても劣っています。

ヒトの短距離走の能力は、哺乳類の中では劣ります。ヒトが捕食したりされたりする程度の大きさの哺乳類は、速く走れないように見えるクマやゾウでさえも、時速40㎞ほどで走れます。100m走の世界記録に匹敵する速度ですから、ヒトは他の動物にかないません。

持久力でもヒトは劣っています。長時間にわたる運動をする際は、細胞内のミトコンドリアで酸素を用いてエネルギーを産出します(有酸素代謝)。そこで、酸素摂取量の最大値(最大酸素摂取量)が持久力の評価指標として用いられます。走る・歩くといった移動時には自分の体重を運ぶので、体重1kg当たりの最大酸素摂取量を評価指標にします。ヒトの最大酸素摂取量は、男性大学生で体重1kg当たり40〜45ml/分程度、女性だと35〜40程度です。一流マラソン選手はさすがで、80ml/分を超えることもあります。ところが、トレーニングをしていないビーグル犬でも120ml/分、老犬でも80です(Haidet GC, Am. J. Physiol., 1989)。ウマだと120ml/分程度、トレーニングをすると150を超えます(Tyler CMら J. Appl. Physiol., 1996)。ヒトの持久力が劣ることは明らかです。

ヒトは狩猟採取をして生き延びてきました。周囲の動物に食べられてしまう危険や、何も採れなくて餓死《がし》してしまう危険と常に隣り合わせでした。他の動物の優れた身体能力を考えると、この危険度はかなり高かったはずです。

どうやって生き延びた?——ヒトの身体機能の優秀さ

短距離も長距離もダメ。鋭いツメやキバもなく、たくましい筋肉もない。どうやって、ヒトは生き延びてきたのでしょう。もちろん、火や道具の利用はヒトの繁栄を助けました。火や道具を持つよりも前のヒトがどのように生き延びたのでしょう。2つの身体機能を挙げてみましょう。

ヒトが生き延びることに貢献した身体機能の1つに、視力が挙げられます(例えば Lieberman D. *The story of the human body*, 2013)。眼球が正面を向いているので、両眼の視差を用いて遠近感を感じられ、立体視ができます。また、二足で立つと、他の動物よりも高い視点を確保でき、遠くの物体を認識できます。優れた視力によって、他の動物を遠くから見つけ、早く行動を開始することによって、逃避あるいは捕食できました。加えて、ヒトは霊長類以外の哺乳類では識別できない緑・赤を識別できます。森の中でも熟した果実を見分けて食べられます。

優れた視覚をもたらしたのは脳の高い処理能力です。例えば、イカはヒトの眼に似た構造を持っています(『眼の誕生——カンブリア紀大進化の謎を解く』アンドリュー・パーカー、草思社、2006年)。とはいえイカの視力は貧弱です。ヒトでは脳の7、8割が視覚処理に充《あ》てられていると推察されているように、脳の処理能力によって精細な視覚を得ています。

余談ですが、ヒトでは、左右の眼が寄ったり離れたりする輻輳開散運動《ふくそうかいさんうんどう》によって解像度の高い網膜部位(中心窩《ちゅうしんか》)で像をとらえ、追跡眼球運動や追従眼球運動によって見る方向を変えます。なので、片眼が独立して動くことは通常ありません。ところが、歌舞伎役者の「にらみ」では、片眼だけを寄り眼にしています。にらみを行う市川團十郎の代々の似顔絵を見ると、わかります。練習によって、こんなに難しい動作ができるようになるのもヒトの特長でしょう。

もう1つの優れた機能は、体温調節、特に放熱の機能です。熱は、伝導、対流、放射によって運ばれます。運動時には体内で作られるエネルギーの大半が熱になります。そこで、皮膚血管の拡張によって、体内の熱を空気中へ伝導して放熱します。風が当たれば、対流により放熱が若干増えます。ヒトの体表面には体毛が少ないので、伝導・対流による熱の移動は比較的容易です。加えて、ヒトは皮膚表面で発汗し、水分が蒸発する際に奪われる気化熱で放熱します。高い発汗能力は、ヒトとウマにしかないものです。イヌやネコを飼うと、ほとんど発汗しないことに気づくでしょう。

優れた放熱機能があるので、ヒトは長時間にわたり運動できます。イヌは速く走れるので、捕まえるのは大変です。けれども、イヌは10分も走れば、放熱するために舌を出してあえぎ、走るのをやめるでしょう。ウマ以外の哺乳類が何十分も運動している光景はあまり見られません。ライオンなども実際には寝てばかりです。そんな場面をテレビで長時間放映しないので、獲物を追う映像が印象に残るだけです。

獲物を遠くから見つけ、長時間走って相手に追いついて捕食し(逆に、捕食者を早く見つけて、長時間逃げて)、生き延びてきました。

そうはいっても、やはり身体は脆弱

優れた機能をうまく使って我々は生き延びましたが、これらの機能を過信してはいけません。体温調節機能も例外ではありません。気温が上がると、ヒトは皮膚の血流を増やして、放熱量を増やします。血流不足に弱い脳や、活動している筋肉に多くの血液を送るために、心臓から多くの血液を全身に送る必要があります。暑い環境で、皮膚に多くの血液を送りながら運動することは循環系の臓器に大きな負担を課しています。

気温が35℃を超えると、放熱はさらに困難になります。脳や内臓のような深部の温度は37℃に保たれますが、体表の温度は35℃程度です。したがって、外気温が35℃以上になると、体表面よりも気温が高いので、放熱できないどころか、熱が体内に移動します。伝導と対流では体温調節ができなくなり、汗の気化熱のみに頼ることになります。こうなると、発汗量が増えて、身体の水分量が低下し、それ以降の発汗がしにくくなります。血液量が低下して循環系にさらに負担がかかります。加えて、湿度が高いと、発汗しても汗が蒸発しにくいので、身体からの放熱ができなくなり、さらに危険になります。

熱中症による死亡者数は、1968年から1993年頃までは年平均100名以下でした。ところが、1994年以降は年平均500名近くに増加しています(環境省HP)。高齢者が熱中症になりやすく、高齢者の人口が増えたことにも起因しますが、気温が高くなったことが死者数の増加に関連しています。東京の年間平均気温は100年前と比べて3・2℃上昇し、猛暑日の日数も増加しています(気象庁「ヒートアイランド監視報告2017」)。気温が体表面温の35℃に近い日が増え、熱中症になりやすくなったのです。

身体の調節機能と環境変化について正しく理解しないと、熱中症についてさえ正しく理解できません。身体の機能と環境問題とは関連しますが、ここではこれ以上踏み込みません。

体調を整え、体調の悪さを早く察知する

熱中症のように体調を急激に崩すことは危険なので、絶対に避けねばなりません。運動前に水分を摂取するなど、様々な情報を各省庁も提供していますので確認しましょう。

そこまで細心《さいしん》な体調管理ではなくても、自分の体調を整える方法、あるいは体調の悪さを早く察知し、回復させる手法を知ることは大切です。社会に出る前に、自分なりに健康でいる方法を知りましょう。

若い頃からこんなことを気にする人は少なく、ある程度の年齢になってから、体調を整えることの大切さに気づくでしょう。ところが、仕事の重要な局面や、家族の介護や教育問題などが重なったときに、はじめて体調を整えようと心がけても、自分の体調維持管理の経験の蓄積がないと、どうしたらいいのか、わかりません。

体調のいい自分を保ち、医療や疾病から自由になり、自分の思うように行動するためには

どうしたらいいのかを考えてみましょう。

運動・栄養・休養は身体の土台

世界保健機関（WHO）の提示した健康の定義や、ウェルネスという概念でも、身体的、精神的、そして社会的にも満たされた状態を好ましいと捉えています。厚生労働省の平成26（2014）年「健康意識に関する調査」での、「健康感を判断する際に、重視した事項は何ですか」への回答では、身体・精神・社会的な状態が重要と捉えられています。

これら3者は相互に関係しています。例えば、厚生労働省は「こころの健康には、個人の資質や能力の他に、身体状況、社会経済状況、住居や職場の環境、対人関係など、多くの要因が影響し、なかでも、身体の状態とこころは相互に強く関係している」としています（健康日本21）。これは多くの方が実感できることではないでしょうか。

以下では、身体の健康を維持するための方策に絞って、考えるヒントを提示してみます。身体的に健康で安心な状態を目指すには、運動・栄養・休養の3つの要素が欠かせないと指摘されていますので、これらについて、簡単に見てみましょう。

身体の健康を支える運動習慣

運動習慣の維持が、体力をつけ、様々な疾病を予防するのに有効であることは、古くから知られています。紀元前にプラトンが記した『国家』にもありますし、『三国志』に出てくる曹操《そうそう》の典医《てんい》をしていた華佗《かだ》も200年頃に指摘しています(Tipton CM, Adv. Physiol. Educ., 2014)。厚生労働省は最近の研究をまとめて、疾患罹患《しっかんりかん》リスクの低減や、予防改善に効果があると明らかにしています。その効果は多岐にわたり、循環系疾患、感染症、認知症、睡眠障害、肥満、骨粗鬆症《こつそしょうしょう》、一部のがん、うつや不安、メタボリックシンドロームなどの生活習慣病におよびます。昔から知られていることには真実が多いようです。

体を動かせる元気なうちに自分の生活に取り込めるスポーツ種目を修得しておくことは大切です。楽しめる程度にスポーツ技術を修得しておくと、運動したい時に気軽に運動を再開できます。時間ができたからプールに行ってみよう、友達を誘ってテニスをしよう、など、気軽に運動でき、運動を行うことに対する心理的ハードルが下がります。友達作りのきっかけにもなります。

調理の大切さ

栄養・調理についての知識は学校ではほとんど習いませんが、健康の維持にとっては重要です。海外で働く際に、現地の言葉を習得するのと同様、現地で料理することができないと困ることもあります。水や果物に注意すべき国では強いストレスにもなるでしょう。栄養バランスの知識に加え、食物自体の危険性と、危険性を減じる調理を知ることは大切です。簡単な料理でいいので、実験を楽しむと思って、調理の経験を積みましょう。

外食ばかりでは、特に野菜に含まれる栄養素が不足しがちになります。また、自分の口に合うものを見つけるのが難しい場合もあります。スパイスを多く使う国では、外食を続けるのが難しい方もいます。

また、意外かもしれませんが、海外での外食は高いのです。日本の感覚で、海外でも外食で過ごすことを選択してはいけません。ビッグマックは世界各国で売られており、経済的な指標にもなっています(The Economist 誌)。その価格は220円から700円までばらついています(2019年7月、1ドル=108・77円換算)。日本では390円ですが、アメリカやユーロ圏では500〜600円もするのです。

海外で仕事をする機会を考えれば、栄養や費用の面から、数品でも手早く自炊できることは大切です。外出するのに危険が伴う地域だと、遅い時間には自宅で食事を作るという選択肢ができ、安全対策にもなります。

休養も大切

若い頃には休養など気にしない方が多いでしょう。若いうちは無理しても何とかなる場合もあります。とはいえ、若くても投手が投げすぎれば肩や肘《ひじ》を痛めます。同様に、頭だって使いすぎれば、精神の健康を保てません。若いから大丈夫という根拠はありません。勉強しすぎで精神を病むことがあるかもしれません。休息の少ないハードワークを一生続けられるのか、一度考えてはどうでしょう。

休養には2つの側面があり「1つは「休む」こと、つまり仕事や活動によって生じた心身の疲労を回復し、元の活力ある状態にもどすという側面であり、2つ目は「養う」こと、つまり明日に向かって鋭気を養い、身体的、精神的、社会的な健康能力を高めるという側面である」と健康日本21では指摘しています。上述のように、身体的・精神的・社会的な健康を高めるということです。

積極的な休養として、趣味を持つことも望ましいです。趣味によって、仕事以外でも社会的なつながりを持つことができます。社会的なつながりは健康と関連します。

おしまいに

ヒトが生き延びてきた人類の歴史的な側面、体温調節やエネルギーなども含めて、身体のことを紹介しました。二足歩行、道具の利用、これらと脳や循環系との関連や、ヒトの交流と伝染病との闘いなども、自分の健康と照らし合わせて考える上では面白い題材です。

身体は自分自身が活躍する上での土台になること、様々な学問ともつながりを持っていることを実感してもらい、知識を獲得し、応用できる一助になれば幸いです。

What one learns at university

「リーダーシップのある専門家」になるために

室田真男

読者の皆さんに大学で学んでほしいことを端的に表すと、「生涯にわたって学び続けることができる学び方を身につけて、専門力を高め、それを組織やチームの中で自分らしく活かす方法を身につけてほしい」となります。端的にと書きましたが、3つのことが含まれている文になりました。「学び方」「専門力の向上」「自分の活かし方」の3つです。以下に、順番に考えていきます。

学び方

最初は、学び方です。

現在求められている学びの前に、従来の典型的学びとはどのようなものであったかを考えてみましょう。

従来の典型的な学びは、先生が学習者に一方的に知識やスキルを教え込むことによりなされます。先生は、知識やスキルをすでに持っており、それを学習者に上手に教えることができる人ということになります。学習者の学習目標は、先生が持っている知識やスキルを覚えることになります。学習者は学習が進むにつれ、多くの知識を覚え、身につけたスキルを正確に早く実行できるようになります。

学習科学の分野では、その学習により育成されるのは、「定型業務の専門家」と呼ばれます。「初心者」が「定型業務の専門家」になるにつれて、定型業務を素早く効率的にこなせるようになりますが、応用問題や未知の問題に対応するのが苦手です。

ところが、現代社会は、グローバル化、情報化、少子化、長寿化が進む大変革期です。VUCA、Volatile(不安定)、Uncertain(不確実)、Complex(複雑)、Ambiguous(曖昧《あいまい》)と呼ばれたりします。こうした世界では、従来起こらなかったような「想定外の」問題が生じます。つまり、予測不可能な未知の世界であると言えます。そこは、正解を早く出す力だけでは不十分であり、「定型業務の専門家」は、有効な価値を生み出すことができなくなります。そこで、新しい力が求められるようになりました。

VUCA社会では、今まで扱ったことがない未知の、そして複雑な問題に対処する必要があります。それができる人を「適応力のある専門家」と呼びます。適応力のある専門家は、習った知識を未知の状況でも使うことができます。このような様々な状況で使うことができる知識を、高次の知識＝メタ知識と呼びます。知識をメタ知識化するためには、習った知識を、自分なりに様々な観点から考え直して、整理し直す学習活動を繰り返すことが必要です。繰り返すことにより、具体的知識より高次なメタ知識が身につくようになります。それを実践するのが、アクティブラーニングと呼ばれている教授技法です。

私が大学の授業で積極的に活用しているのは、対話を通した学びです。習った知識を自分なりに様々な観点から考え直して、整理し直すために、対話という手法を用います。

対話には、次の3種類があります（佐伯胖、藤田英典、佐藤学、1995年、72―80頁）。

1つめは、学習者と学習対象との対話です。学習対象を言語化して表現する活動であり、従来から実践されてきた学びの活動そのものといえます。ただし、先生から言われたことを考えずに丸暗記するだけの活動は対象との対話がされているとはいえません。学習対象を自分なりに理解し、自分の言葉で説明できるようにする学習活動のことを指します。

2つめは、自分自身との対話です。自分が今まで習い保有している知識と、新しく習った知識を統合し、編成し直して、自分なりの新しい知識として再構成し、記憶に保存し直す行為のことです。既存知識に新しい観点が加わり、知識が高度化・高次化します。

3つめは、他者との対話です。いわゆるコミュニケーションといわれている行為になります。同じものを見たり聞いたりしても人により捉え方は様々であり、傾聴を通してそれらの違いを認識することにより自分の見方や考え方が広がっていきます。さらに、相手にわかりやすく話をする行為は、相手にあわせて自分の知識の再構築が行われ、知識が高次なものへ進化していきます。

対話を通した学習を自ら意識して実践することにより、獲得した知識が応用可能になるとともにメタ知識が身についていきます。3つめの対話は相手がいないとできませんが、最初の2つはひとりでも実践できることです。常に意識して、よい学びの習慣を身につけてください。

専門力の向上

次に「専門力の向上」を考えていきます。

多くの大学では、4年生になると研究室に所属し、卒業論文を書くために研究活動を行います。研究活動を行うためには、その分野における最先端の知識を学ばなければなりません。最先端の専門知識は動的に変化し続けています。いったん身につけた知識も常にアップデートしていくことが求められます。

知識やスキルをアップデートしていき、一流であり続けるための方法があります。

最も重要なのは、自分の能力を少しだけ超える負荷《ふか》をかけ続けることです。「これで十分」と思い負荷をかけないでいると、一旦身につけた知識やスキルは落ちていってしまいます。常にチャレンジしていくことが求められます。ただし、目標が高すぎてもいけません、ちょっと無理をすれば届きそうなレベルを設定し、チャレンジしていくことが重要です。

自分の能力でできる範囲のことを、コンフォートゾーン(快適空間)といったりします。自分の能力内で仕事をこなすことができるので、負荷を感じることなく快適に過ごせます。とても理想的な状態のように思われる方もいるかもしれませんが、そのゾーンに留まっていると、人間の能力は衰退していってしまうのです。そのコンフォートゾーンを少しだけ超える部分に挑戦し続けることが重要です。

チャレンジし続けていくことは大変なので、「何に」チャレンジしていくのかを選ぶことが大切になります。それが専門性です。自らが興味関心を持つ分野であれば、たとえ困難があったとしてもチャレンジしていくことが楽しくなります。何にチャレンジしていくのかを選択できるのが大学です。自分のチャレンジ対象を決めて、最先端の知を作り上げていく楽しさを味わってほしいと思います。

自分の活かし方

次は「自分の活かし方」です。

私は、自分の活かし方を学ぶことは、リーダーシップを学ぶことだと思っています。リーダーシップというと、カリスマ性のあるリーダーが組織のトップにいて、皆を引っ張っていくというイメージを持つ方が多いかもしれません。会社の社長や、大学のクラブ活動の主将のような、特定の肩書きを持った人が、他のメンバーを引っ張ったり、チームをまとめるというイメージです。

現代ではリーダーとリーダーシップは区別して考えられます。ここでは、立教大学のＢＬＰ研究チームが用いているリーダーシップの定義を紹介します。

リーダーシップを、「職場やチームの目標を達成するために他のメンバーに及ぼす影響力」と定義しています。この定義に「役職」とか「リーダー」などの言葉は入っていません。リーダーシップにおいて重要なことは「影響力を発揮すること」です。

（高橋俊之、舘野泰一、２０１８年、37頁）

そして同書では、これまでの一般的なリーダーのイメージと、これからのリーダーシップのイメージを４つの点について対比しています。（１）カリスマだけが発揮するものに対し、すべての人が発揮するもの、（２）「引っ張る」・「まとめる」に対し、目標達成のため他のメンバーに影響を与えるあらゆる行動、（３）１人が発揮するものに対し、みんなで連動しながら発揮するもの、（４）天性のものに対し、学習可能なもの（前掲書、38頁）の４つです。いかがですか？　自分でもできそうな気がしませんか？

社会に出ると、ひとりで活動することは少なく、多くの場合は組織やチームで活動することになります。組織やチームにおいて影響力を発揮するには、自分の強みを知り、それを組織やチームに活かしていくことが大切です。自分の強みに気がついていないことが多いかもしれませんが、様々な経験を通して、自分の強みを知ってほしいと思います。

私が大学で行っている授業のなかで、グループ活動中心のものがあります。最初の授業でグループ編成を行いますが、チームとして活動する際に各自がリーダーシップを発揮できる環境を作るために、様々なタイプの人が集まってグループを組めるような工夫をしています。具体的には、コミュニケーション・スタイル・インベントリー(簡易版)(鈴木義幸、2002年)を活用して、各自のコミュニケーションタイプを把握してもらいます。コントローラー(社長型)、プロモーター(アイディア出し型)、サポーター(支援型)、アナライザー(分析型)という4つのタイプに分類されるもので、あくまで参考として利用しています。これまでの経験では、様々なタイプの人が集まり、そして自分およびチームメンバーのタイプを知ることにより、それぞれの個性が発揮されたグループ活動が可能になると感じています。

リーダーシップのある専門家とリベラルアーツ教育

これまで述べてきたことを、学習科学ハンドブックで書かれていた適応的熟達化の図（R・K・ソーヤー、2009年、22頁）に著者が加筆修正したものを示して、まとめとします。

学習者は誰もが初心者ですが、知識を覚えていくことにより、物事を効率よくこなすことができるようになり、「定型業務の専門家」へと育っていきます。「定型業務の専門家」は、答えのある既知の問題に対応することには長けていますが、これからの時代で起こりうる答えのない未知の問題や、AIに負けない創造性のある考える力を身につけるには不十分です。そこで、「適応力のある専門家」が求められるようになりました。「適応力のある専門家」になるためには、既存知識をメタ化する必要があり、対話をとおした学びが求められています。なお、知識はあまり持っていないが、高い創造性のみを持っている人を「欲求不満の初心者」といいます。

R・K・ソーヤー（2009年）の図ではここまでしか書かれていませんが、私はそこに「リーダーシップのある専門家」を加えたいと思います。「適応力のある専門家」との違いは、解決すべき問題を自分で見つけることができること、組織やチームに対して影響を与えることができるリーダーシップを発揮できること、社会に対して革新的なものを生み出していくことができること、です。

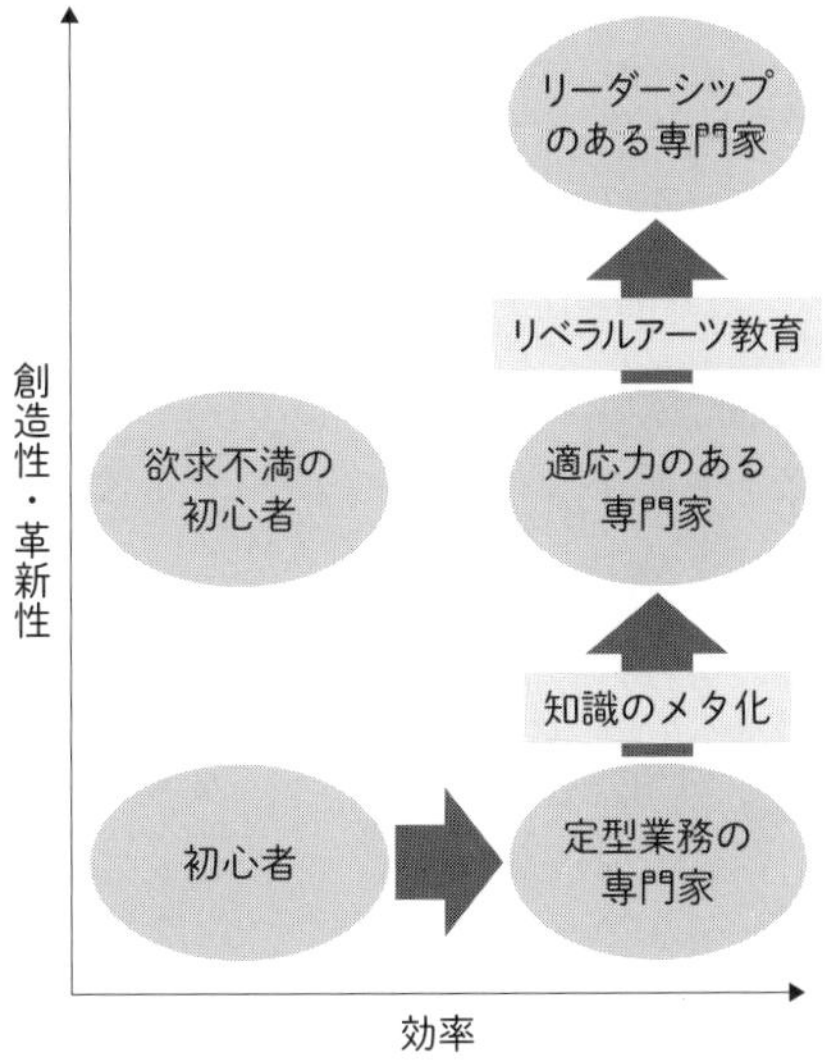

「リーダーシップのある専門家」になるためには、専門分野だけ学んでいてもだめです。

そこで重要になるのが「リベラルアーツ教育」であると考えています。古来は、自由人を育成するための、人として偏《かたよ》らない知識(自由七科)が求められました。現代の「リベラルアーツ教育」では、幅広い知識に加え「様々な境界や壁を越える力」が必要です。壁には、対外と対内の2種類があります。

対外の壁とは、自分の専門領域を超える力のことを指します。現代の問題は学際的であるため、色々な分野の専門家がチームで解決することが求められます。そのような状況では、分野を超えて協働する力が必要です。

対内とは、自分の心地よい領域(コンフォートゾーン)から抜け出す力のことを指します。最近の学生は、受動的でコンフォートゾーンから抜け出そうとしない傾向が強くなっているように感じます。コンフォートゾーンを突破するためには、強い志を持つことが重要です。自らやりたいことに取り組み、問題を解決し、未来を創り上げ、社会に貢献しようとする気概を持ってもらいたいと思っています。

大変なことが多い現実社会でも、自分が面白いと思う理由から、つまり内発的動機に基づいて取り組めば、頑張って乗り越えていけます。大学時代にその基盤を身につけてほしいと願っています。

参考文献

佐伯胖、藤田英典、佐藤学(編)(1995年)『学びへの誘い シリーズ「学びと文化」1』東京大

学出版会
R・K・ソーヤー(編)(2009年)『学習科学ハンドブック』培風館(ただし、現在は第2版第1巻から第3巻が北大路書房から発売されているが適応的熟達化の図は使われていない)
鈴木義幸(2002年)『コーチングから生まれた熱いビジネスチームをつくる4つのタイプ』ディスカヴァー・トゥエンティワン
高橋俊之、舘野泰一(編著)(2018年)『リーダーシップ教育のフロンティア(実践編)』北大路書房

What one learns at university

「リベラルアーツなんて
やりたくない」という人へ

多久和理実

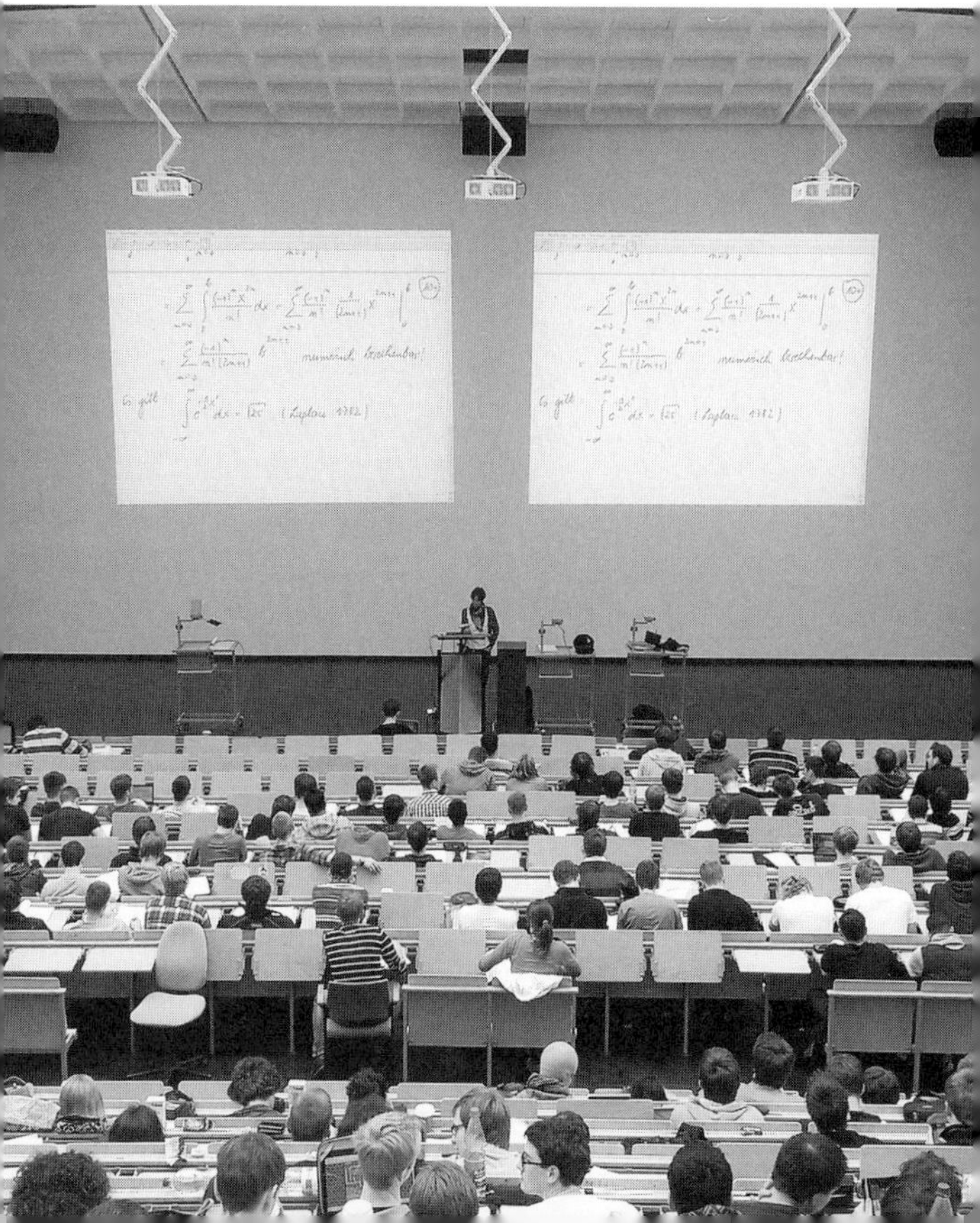

「多久和はリベラルアーツの皮を被《かぶ》った残念理系だ！」リベラルアーツ研究教育院で仕事をはじめて早二年、授業やスピーチをするたびに、学生さんからこんな指摘を受ける。そろそろ化けの皮が剝がれてきたようなので、観念して本音を書いてしまおう。『新・大学でなにを学ぶか』という本の趣旨に合わないかもしれないけれど、却下されずに収録されたならば、私の「なんちゃってリベラルアーツ」が許容されたのだと考えておく。

よさそうなことを言われても行動できない

「すぐに役に立つものは、すぐに役に立たなくなる」
「教養とは、すぐには役に立たない」
「教養が役に立つとは結果論で、本当はムダなもの」
「教養とは変化に対応する力、創造を生む力」
「教養の第一歩は、専門外の分野を学ぶことから」

……

ああ、よさそうな言葉が並んでいる。大学一年生向けのオリエンテーションでは、専門科目だけでなくリベラルアーツ科目を積極的に学んで欲しいという熱いメッセージが怒濤《どとう》のように押し寄せる。自分とは全く異なる分野で、あるいは全く異なる人生の中で、それぞれキラキラ輝きながら活躍している有名人たちが登壇し、それぞれの教養論や人生論を語ってくれる。よいことを言ってくれているのはわかる。その言葉が、その人の人生を輝かせていることもわかる。でも、ふと考えてしまうのだ。もしも自分が学部生だった頃にこれらの言葉を聞いたとして、行動を起こすのに十分な——自分を束縛《そくばく》しているポテンシャル障壁《しょうへき》を越えるのに十分な——エネルギーを与えてくれるだろうか、と。答えは「NO」。自分を閉じ込めている井戸型ポテンシャルはとても深く、エネルギーが少々与えられたくらいでは行動を起こせなかった。大学に入って心機一転、リベラルアーツ科目に積極的に取り組んでいる学生さんたち、ついでにうっかり私が担当する科学史の授業を取ってくれている学生さんたち、本当に凄《すご》いと思う。でも中には、「専門外の分野なんてやりたくない」「行動を起こせない」と思い悩む学生さんもいるのではないか。

このエッセーで目指すのは、多くの人にとっては意味不明だけれども、一歩踏み出すことに迷いがあるごく少数の人にとって、参考(あるいは反面教師)になるかもしれない文章である。専門外の分野に触れることを拒絶《きょぜつ》していた一人の学生が、どのように専門内の思考で自分を納得させて、外に踏み出すようになったのかという一つの事例だと思って、自分語りすることを許して欲しい。

「コスパがよい」ものが好き

大学教育でコスパ(コストパフォーマンス)に言及したら怒られてしまうかもしれないけれど、私はコスパがよいものが好きだ。あるものについて「コスパがよい」と思い込んでしまえば(実際にコスパがよいかどうかはさておき)、それだけで魅力を感じることができる。高校生の時に物理学が好きになったのも、定義と基本法則さえ覚えてしまえば、いつでも頭の中で再構築できるというコスパのよさが大きな理由だった。私は記憶力が悪いので公式なんか全く覚えられなかったけれど、力学なら「F=ma」、波動なら「v=fλ」、熱力学なら「ΔU

＝Q＋W」のような基本法則だけ紙に書いて、後は現象についての正しいイメージさえ持っていれば、いつでも頭の中で再構築できるし、得たものを後々《のちのち》忘れてしまうこともない。それに比べて、語学や歴史は覚えることがたくさんあるように感じたし、継続して勉強しないとすぐに忘れてしまうので苦手意識があった。

私が学部生だった頃には、今みたいに「多様な分野の科目をバランスよく取りましょう」という指導はなかったので、可能な限り自分の関心に近い科目ばかり上限まで取った。抽選で外れたにもかかわらず、「どうしても好きな科目じゃないと嫌《いや》だ」と駄々《だだ》をこねて授業にねじ込んでもらったことも、一度や二度ではない。当時の自分の行動を振り返ると、学生さんに向かって「多様な分野に触れよう」なんて口が裂けても言えない。

「すぐには役に立ちません」と言われたら私はやる気が出ない。コスパが悪いことがわかっているのに、専門科目や演習・実験で忙しい中、わざわざ時間と労力を割《さ》く気にならない。せっかく取り組むなら、（専門分野ほどではないにしても）好きなことやコスパのよいものがいい。高いポテンシャル障壁に束縛されていた私がやっと外に踏み出しはじめたきっかけは、科学史とラテン語が専門分野に近く、かつコスパがよさそうに思えたからだった。

元々、大学で物理学科に進んでレーザー分光学《ぶんこうがく》をやろうと決めたきっかけは、中学生の時に「究極の一色の光って何だろう?」と疑問に思ったことだった。同じ時期に、アイザック・ニュートンの伝記を読んで、ニュートンが白色光をプリズムで分解しながら一色の光を作り出そうと試行錯誤《しこうさくご》していたことを知った。私にとって物理学についての関心は、物理学史についての関心と表裏一体《ひょうりいったい》だったので、物理学史であればレーザー分光学の研究に間接的に役に立っていると思えて安心して入り込めた。学部四年生の時、ラボのメンバーと一緒に一六七二年のニュートンの論文や一九〇〇年のプランクの論文を大学図書館に見に行ったのはよい思い出だ。

同じ四年生の時、ニュートンが著作をラテン語で書き残していることに気付き、ラテン語を勉強する気になった。行動を起こすきっかけになったのは、「ラテン語はコスパがよい」という思い込みだった。ラテン語は語順が自由である一方、格変化のルールが厳密なので、あたかもパズルを解くかのように解読することができる。しかも、ラテン語は古代ローマ時代から一八世紀までずっと学問の共通語であり続けたため、ニュートンの著作だけでなく、コペルニクスやデカルトの著作だって読めるかもしれないという可能性が開けていた。その上、ラテン語は文法をかじりはじめてすぐに役に立った。数学の証明で使うQ.E.D.や論文の脚注に書いてあるibid.やop. cit.など、よくわからないまま呪文《じゅもん》のように使っていた言葉の意味が次々とわかるようになってきた。ついでに、私は英語が苦手で「英語をもっと頑張りなさい」とよく注意されていたのだが、ラテン語をはじめてからは「ラテン語のほうが好きです」「ラテン語から英語の語源が見えてきて面白いです」などと言い訳して英語から逃げるための隠《かく》れ蓑《みの》になるというネガティブな意味でも便利だった。

Q.E.D. = *quod erat demonstrandum*
　　これは証明されるべきものであった
　　→これは証明された

ibid. = *ibidem*
　　同じその場所で
　　→同書

op. cit. = *opere citato*
　　引用した作品から
　　→前掲書

図1. ラテン語をはじめたら，すぐに役立った？

　すぐに役立ちそうなもの、コスパがよいもの、という条件さえ整えば行動を起こせるようになった私は、その後、ゆっくりと時間をかけながら、専門外の分野に踏み出していくようになった。最初は、科学に関係ない書物は読まないとか、科学者に関係なさそうな政治や文化は無視するとか、かなり極端なことを普通に言っていた。でも、何よりも一歩踏み出してみることが大切で、踏み出してみれば苦手だと思っていたことが案外面白かったり、関係ないと思っていた分野が自分の専門に大きく関係していたりすることに気付いた。

私の現在の研究テーマは、歴史の中で科学者の業績がどのように受容されたのかを分析することだ。そして趣味は、ラテン語(たまにギリシア語やイタリア語)で残された科学者の名言・迷言を収集して解説すること。これだけ述べると、なんだか学際的で視野が広そうだと誤解をされることがある。いやいや、視野は非常に狭いのだ。実は今でも、すぐに役に立ちそうだとか、コスパがよさそうだとか自分に思い込ませないと最初の一歩目は踏み出せない。

「今」の時点で、関心が広くなくてもよい

大学院生になってから私が新しく追加した行動パターンの一つに、観劇と映画鑑賞がある。私は凝り性のようで、二〇一九年の記録を見ると劇場に四三回、映画館に一二回行っていて、歴史もののDVDを五一枚買っている(正直に数字を書くと仕事をサボっていると疑われそうだ)。学部時代の私は人混みが苦手で、書物と授業以外から情報を得ることの意味が理解

できなかった。当時、科学史を担当していた故・梶雅範《かじまさのり》先生が授業中に熱心に歴史映画を勧めているのをいつも白けた顔で聞き流していた。

映画館に足を踏み入れるようになったのは、修士課程で交換留学生としてイタリアに滞在していた時だった。高校で理数科に進学して以来、「みんな科学が好きで当たり前」という環境で甘やかされて生きてきた私は、留学して初めて、「いきなり科学の話を振っても会話が成立しない」という現実に直面した。ある日、人懐《ひとなつ》っこいルームメイトに映画に誘われて、「原作を読んだからいい」と断ったつもりだったのに映画館に連行されてしまった。そうしたら案外、映像を観るのは新鮮だったし、感想を言い合うのも面白かった(私はテレビやゲームを禁止する家庭で育ったため、そもそも映像を観ることに慣れていなかった)。そして、共通の話題として使える映画を便利なツールとして認識するようになった。少なくとも、いきなり「好きな数式は何ですか?」と訊《き》く前に、「好きな食べ物」とか「好きな映画」くらいは話題に出そうと配慮するようになった。

留学から戻ると、私は梶先生に正直に伝えた。「以前は、なぜ先生が映画を勧めるのかよくわからなかった。でも、周りの人と話を合わせるために映画を観るようになった」と。その時の梶先生の返答をよく覚えている。

「私が映画を観るようになったのも、大学院生になって留学してからでした。それでいいんです。これから色々観ればいいんですよ」

それでいいんだ。私にとって意外な言葉だった。映画好きで知られる梶先生のことだから、もっと早くから見るべきだったのにと言われると思っていた。あるいは、映画そのものの面白さではなく便利さを強調するなんてと怒られるかと思っていた。でも、そうではなかった。この時点で大切なのは行動するようになったことで、行動がもたらす結果は後から付いてくるものだ。もしかしたら、化学科出身の梶先生自身も、時間をかけながら少しずつ専門外の世界に踏み出していったのかもしれない。

私は東京工業大学の教育に心から感謝していることがある。それは、可能性を信じて見守ってくれたこと、そして、その時点で好きなことや得意なことを尊重して、多くを要求し過ぎなかったこと。理系・文系問わず、「視野が狭すぎてダメだ」と言うよりも、「今、物理学に夢中ならば、掘れるところまでしっかり深く掘りなさい」と励ましてくれる先生方に多く出会った。視野が狭いことに自分自身で気が付くのを待って、そのタイミングで「気付いてよかったね」と言ってもらった。私の場合、気付くまでに学部四年間どころか、八年間くらいかかってしまったけれど、そして、まだ気付くべきことがたくさん残っているのだろうけれど。気の長い先生方に見守ってもらったおかげで、今では自分自身に対して「気付いてよかったね」「気付くって楽しいことだね」と言い聞かせながら進んでいけるようになった。

入学した瞬間から広い分野に関心を持つなんて、全員ができることじゃない。特に、理工系大学であることが知られていて入試の出題傾向が偏《かたよ》っている大学を志望するなんて、特定の分野に関心が絞られていて当然だろう。それでいいじゃないか。今はリベラルアーツ教育が謳《うた》われているため、「関心を広く持て」「専門外の分野を学べ」「人間的魅力を高めろ」というプレッシャーに晒《さら》されて、もしかして辛い思いをしている学生さんがいるかもしれない。「今」の時点で多くを望まなくてもよいではないか。教養豊かな人だって、人間的魅力に溢《あふ》れている人だって、具体的に長い人生を紐解《ひもと》いてみたら、大学生にあたる年齢よりも後の時期に得たチャンスや経験がきっと多いだろうから。

入り口は嘘でもいい

私は物理学が大好き、科学が大好きだ。今、大学で科学史の授業をしたり、科学マンガや科学番組の監修をしたり、このような形で科学に関わる仕事ができることをとても幸せに感じている。仕事の中でいつも自分に課している方針がある。それは、「入り口は嘘でもいい」ということ。面白いと思ってもらえればその後も学び続けてより正確なことを知ってもらう機会がある。一方で、面白くないと思われてしまったらそこでおしまい。だから興味を持ってもらえるならば、ちょっとした間違いはOK。これは、科学でも科学史でも共通の方針だ。私の授業を受けたり、私が関わった作品を読んだりした人が「わりと面白かったな、また機会があれば科学(あるいは科学史)に触れてみてもいいかも」と思ってくれれば、それで大成功。むしろ、科学(あるいは科学史)を嫌いにならなければ、それで十分。考え方がエンターテインメントに寄りすぎていると批判されることもあるけれど、より正確な科学や科学史の知識に橋渡しをするような努力は怠らないので許して欲しい。

図 2. 他の分野の人と会話が成立しなかった経験も，今ではエンターテインメントとして活用できて幸せ？
蛇蔵『決してマネしないでください。』第 3 巻（監修として参加）より © 蛇蔵／講談社

リベラルアーツに関しても、「入り口は嘘でもいい」という方針はアリではなかろうか。大切なのは行動を起こすことで、行動がもたらす結果は後から付いてくる。例えば、騙《だま》されたつもりでやってみたら、案外好きになった、とか。あるいは、目先のことに役立つと思ってはじめたら、人生観を変えるくらい大きな影響を受けた、とか。そんなことだってあるだろう。私は専門分野に役立ちそうとか、コスパがよさそうと思い込めば、一歩踏み出せる。あるいは、この分野は苦手だということを確認して適度な距離感を保てるように、あえて別の分野に足を入れてみることもある。敵と戦うために相手をよく知らなければならないというネガティブな動機から、一歩踏み出すこともある。

私は、キラキラ輝きながら活躍している有名人の人生論を素直に受け止められない。特に、教養豊かな人、専門外の分野の知見を活用して成功した人の話は、リベラルアーツが「役に立たないもの」と言っておきながら「役に立っている」という特殊な事例の部分集合だけ見せられているようですっきりしない。もしも自分が学部生だった頃に話を聞いたら、「自分も専門外の分野を学ぼう」とすぐに説得されたりしないだろう。むしろ、「その人と自分では時代も条件も違うでしょ?」と不貞腐《ふてくさ》れるかもしれない。

学問は人間の性格に入る？

理屈をこねくり回して文句ばかり言っていた私を説得してくれたのは、古典の中の言葉だった。歴史というふるいに掛けられながら何百年間も読み継がれてきた言葉は、きっとこれからも時代や条件を超えて普遍的な価値を持ち続けるに違いない。現在でも愛され続けている昔の言葉に出会うと、あたかも物理学で基本法則を知ったときのような気持ちになることがある。最後に、一つだけ好きな言葉を紹介させて欲しい。

歴史は人を賢くする。詩人は人を才気煥発にし、数学は明敏にし、自然哲学は考え深くし、道徳は厳粛にし、論理学と修辞学は議論好きにする。学問は人間の性格に入る。それどころか、適切な学問によって除去できないような知能の障害もしくは故障は存在しない。

（フランシス・ベーコン『随想集』より）

似たような言葉を他の人も言っている。けれども、近代科学の先駆けとなる実験主義を唱えたベーコンが言っているのだから、そして四〇〇年間も読み継がれているのだから、「私もやってみようかな」という気にさせられた。

専門外の分野に一歩踏み出すエネルギーが与えられれば、理由は何だってよいではないか。私が自分を納得させるために使った「なんちゃってリベラルアーツ」への苦情はご遠慮願いたい。私はまだ三二年しか生きていないので、リベラルアーツの本当の意義や、リベラルアーツが今後の人生で役に立つのかなんてわからない。少なくとも目先のことでは役に立ったと信じているレベルだ。それに、まだまだ「学問は私の性格に入って」きている最中なのだ！

このエッセーが、いつか誰かの参考（あるいは反面教師）になりますように！

What one learns at university

なぜ大学で学ぶのか，一緒に考えよう

弓山達也

学び始めた一九八〇年代前半

■何のために大学に行くのだろう

本書タイトル『新・大学でなにを学ぶか』の前に、そもそも何のために大学に行くのだろう――、一浪して滑り止めしか受からなかった大学一年時の私にとって、この問いは考えたくもない、向き合いたくもない問いだった。ただ「どうしようもないや」という諦《あきら》めと、「じゃあ、どうすればいいんだろう」という不安や焦りが募っていたのも事実で、「何のために大学に行くのだろう」は常に心の片隅にあった。

大学に入学した一九八二年は、日本全国で反核運動が盛り上がりを見せ、通っていた大学は講義中に教員がビラまきを行う「左翼」の大学だった。当然のごとく、学生の間でもその志向は強く、当時すでに珍しくなっていた学生運動のなごりを留めていた。サークルにでも入ろうかと、地上八階・地下二階の本部棟と六〇〇名を収容するホール棟からなる学生会館に行ってみると、正面には屋上から「三」「里」「塚」「闘」「争」「勝」「利」と一文字一階分の巨大な文字。入り口にはヘルメット姿の学生(らしき人)が角材を持って待ち構え、「○○派殲滅《せんめつ》」などと独特な書体が踊るステッカーが何重にも貼られた迷路のような通路を持つ建物は「威容」という言葉がぴったりだった。

■ **新たな〈知〉の創出を目指して**

いくつかのサークルの部室を訪ねた後、私は、哲学科生が形式上全員加盟(大学が部費を代理徴収する)する「哲学会」なる団体に身を置くこととなった。そしてそこで出会ったスローガンが「新たな〈知〉の創出を目指して」だった。

六〇年代から七〇年代にかけての学生運動は、バリケードで封鎖されたキャンパスのあちらこちらに「自主ゼミ」文化を花開かせ、八〇年代初めというのに、哲学会の主要活動は、この「自主ゼミ」であった。週一回の自主ゼミは自分の無知を恥じるばかりの汗顔の連続だったが、それなりに楽しいものだった。何となく滑り止めで入った大学でも、ここに来てよかったかなと思えるようにもなってきた。

しかし週一回の自主ゼミに、さまざまな「活動」が義務づけられていった。具体的には自主ゼミが行われている学生会館は、学生運動によって克《か》ち取《と》られた場であり、それは常に闘い続けることによって維持されなければならず、そうした集会は「必修科目」だった。大学の正規科目は「与えられたもの」で、それに対して自らの〈学び〉を対置させていかなければならないこと、そしてそれはさまざまな社会運動と連携していることなどが説かれ、学内外で行われる勉強会や集会への出席は「選択必修科目」だった。

やがて夜遅くまでの議論、ほとんど読まれないビラの印刷や配布、メンバーの勧誘などが重くのしかかってきた。憔悴《しょうすい》していく中で、志半ばで大学を去った者、病に倒れた者、内ゲバで傷ついた者もいた。渦中にいると判らないものだが、今振り返ると「新たな〈知〉」は、二〇歳前後の若者に途方もない禁欲と緊張を強いていた。しかし「何のために大学に行くのだろう」という問いの答えは見つからないままだった。

教え始めた一九九〇年代前半

■なぜ教室に行くのか

結局、私は中途半端にこの組織をめぐる活動に終止符をうち（簡単に言うと投げ出して）、当時、バブルだったことをいいことに、就職はいつでもできるだろうという何の確証もないお気楽さから就活もせず、逃げるように卒業した。「新たな〈知〉の創出」とか、「何のために大学に行くのだろう」というような厄介《やっかい》な問いは棚上げし、やりたいことができる場と時間を求めて他大学の大学院を受験した。しかし再び、この問題に直面することとなった。

大学院を出て、当然、職はなく、非常勤の仕事やアルバイトで食いつなぐ日々であった。バブルは崩壊していたものの、九〇年代前半は何となく社会や時代が大きく変わろうとする雰囲気があった。その後、九五年一月に阪神淡路大震災、三月に地下鉄サリン事件、戦後五〇年が叫ばれ、一一月にウィンドウズ95が発表された。街にはコギャルが闊歩《かっぽ》し、下着や身体を売る行為を「人に迷惑をかけなければ何をしてもいい」というような発言で正当化していた。

大学の教室にも異変が起きたような気がする。今もはっきり覚えているが、講義が始まっても最前列の学生がアルバイト情報誌を読み続けている。どうしたものかと思いつつ注意したら、「誰に迷惑をかけたというんですか」と凄《すご》まれた。このことを某有名国立大学の教授に話したら、「ウチも試験中に、解答を終えた学生が答案を裏返して新聞を読んでるんだよね」と悩みを共有してくれたのだった。当の学生にしてみれば「いったい何がいけないんだろう」ということかもしれないが、それまでの講義スタイルが通用しなくなったという感じがジワジワと伝わってきた。

これには背景があって、一九九一年に「大学設置基準の大綱化《たいこう》」と銘打《めいう》って文部省の大学に対する規制が大幅に緩和《かんわ》され、それまであった○○学という学部・学科名や講義名が実に多様になり、所属する学科や受講する講義が必ずしも学問の体系や伝統と対応しなくてもよくなった。かつては当たり前だった一年生で「○○学概論」を、次いで「○○学史」、そして「○○学方法論」といった学問体系など一気に「どうでもよくなった」のが九〇年代だった。

分野にもよるが、(特に人文学系では)講義履修《りしゅう》はアラカルト方式になり、学問的な必要性からではなく、学生の都合のよい曜日・時限、単位数、その取りやすさから選択するようになっていった。出席のため講義に出て、偶然、興味がわいたら聴くし、そうでなければ聴かない(聴いているふり、今ならスマホをいじっている)。一八歳人口の減少も手伝った。学生がお客様扱いされるようになったこともあって、教室内での過ごし方は、教員の意向が相対的に低下し、学生に委ねられるようになっていった。

私も教壇に立つようになった九〇年代初頭は、宗教学の学説や体系や分野を解説し、やがて今日的なテーマを扱っていたが、九〇年代半ばになると、学問の話をするのが空しくなるくらい学生の食いつきが悪くなった。

折しも九〇年代後半になるとインターネットが普及し、またさまざまなデータベースが整備され、情報や知識は「先生」の独占物ではなくなっていった。考えてみれば九〇分、教員の話を聴くくらいなら、本を読んだ方がより多くの確実な知識が得られる。その時間をパソコンの前に座っていれば、精度はともかく桁違いの量の情報が得られるのだ。では教員はいったい何のために大学の教室に行き、教壇に立つのだろう。

■一番知りたいのは隣に座っている人が何を考えているか

何のために教室に行くのか、その問いに三〇代半ばの私は体力に任せて、大教室でも学生にマイクを突きつけて双方向の講義をすることで応えようとしていた。やがて九〇年代末に、ある学生がレポートの端っこに、図入りでこんなことを伝えてきた。そこには二重丸に「先生」、沢山の丸に学生と書かれて、二重丸と丸との間に両矢印が何本か引かれ、「先生がしたいこと」と記されていた。そして隣には丸と丸の間に両矢印が引かれ、「僕は隣に座っている人が何を考えているか知りたい」と書かれていた。二重丸には矢印は向けられていなかった。この時のことは今も忘れられない。

そうだったんだ！

勤務していた大学で、学費値上げに反対する学生ストライキがあった時、「スト破りじゃない、受講生と総長団交について議論しに来たんだ」とバリケードをかいくぐって教室に行ったら受講生は誰もいなかったこと。「レポート添削《てんさく》を希望する者は封筒に住所と名前を書いて提出」と言って集まった封筒は二つか三つ（受講生は五〇〜六〇名）。誰にも言えない苦い思い出の全てが符合した瞬間だった。

こうした中、三五歳で任期付きながら専任講師の職を得ることができた。同時に「新人」、（この業界では）「若手」ということもあって、授業改善のいろいろな研修や大学の新しいプログラム作りに関わることとなった。学外では同じように職に就き始めた同好の士と、互いの講義の参観やVTRを撮っての検討などを行い、「なぜ私たちは教室に行くのだろう」について議論することができた。

当時、エンカウンターグループの手法や初等教育の学級運営にかなりヒントを得たような記憶がある。暗中模索《あんちゅうもさく》の中で、この当時書いたもの「自己実現の〈学び〉をどう構築するか」(「大学時報」二〇〇〇年九月号)、「大学で「自己実現の学び」を——「知」をくみ取れば学生は成長」(読売新聞夕刊、二〇〇〇年一二月一二日)、「体験型講義における自己実現—教員がお喋りをやめれば学生は自ら学ぶ」(日本私立大学連盟大学問題研修予稿集、二〇〇一年)を見ると、前述の「新たな〈知〉の創出を目指して」を「自己実現の学び」として引きずりつつも、体験型、そして(当時まだこういう言葉がない頃)プロジェクト型講義について、熱く論じているのが判る。本書に寄稿していて今や同僚の中野民夫氏の『ワークショップ』(岩波新書、二〇〇一年)も線を引きながら何度も読んだ。

なぜ大学で学ぶのか、一緒に考えよう

■答えがないから面白い

我流ながら体験型講義やプロジェクト型講義を実践し、何となく本を読むのでもなく、ネットを検索するのでもなく、教室に集う意味が見えてきたのは、こうしたことを模索し始めて一〇年ほど経った頃だろうか。価値相対主義が隅々まで浸透し、自分の価値や理想について論じることなど、ほとんど関心の埒外《らちがい》に追いやられてしまった今世紀初頭、同じ教室で、同じ時刻に、同じテキストや同じテーマのもとに集えるなんて奇跡のようなことだと私は説くようになっていた。自分とは異なる他者がいて、同じテーマを考えても違った答えや、同じ答えでも違ったプロセスでそこに行き着くということ自体、本当にワクワクすることだと学生に訴えかけた。私が教えることは何もなく、自ら問いを立て、自ら、いや皆で答えを導き出す――この実にシンプルなことこそ、大学に、教室に集う意味であり、価値であり、私はそのお手伝いをするために、ここに来たのだと講義の初回に必ず言うようにしている。

こうした試みや主張は歓迎される場合もあれば、総スカンを食らう時もある。二〇〇五年

にゼミ生全員でブログを書き、互いにコメントやトラックバックをしあって、教室以外のオンライン上でも議論を深めていったことがある。受講者三六名というゼミとしては苛酷な条件だったものの、その年の授業評価アンケートはほぼ満点だった。しかし翌年、同じことをしようとしたら、ゼミ中にｍｉｘｉなどを閲覧《えつらん》する学生が続出し、途中で方針転換を余儀なくされた。二〇一〇年からゼミは学外のコミュニティスペースで開講した。

詳しくは「宗教系大学の社会貢献とスピリチュアリティの教育」(『宗教なしで教育はできるのか』聖心女子大学キリスト教文化研究所編、春秋社、二〇一三年)に譲るが、一生の思い出ができたものの、そのコミュニティスペース自体が運営に頓挫《とんざ》して、幕を閉じることとなった。その都度、その都度、涙が出るような喜びもあれば、煮え湯を飲まされるような苦しみもある。教育は同じことをしていても結果が常に異なる。いや、決まった答えがないから面白いのだろう。理工系の大学に移り、文系大学との学生気質の違いを感じるものの、両者とも学生に教育(自分の学校体験)について語らせると、実に生き生きと話してくれる。答えがないから、いつまでも話が続く。

■大学の〈学び〉は一緒に創るもの

『新・大学でなにを学ぶか』というタイトルの本書を手にした高校生や大学生は、本書を大学で学ぶための指南書と思ったのかもしれない。しかし本章で綴《つづ》ったように、多くの教員は試行錯誤《しこうさくご》・暗中模索の手探り状態にあると思う。ただ、やや指南書めいたことを言うとするならば、私の今の考えは次の三点にまとめられる。

①自分の学びのスタイルを模索しよう。自分のクラスのある高校と違って大学は雑踏に近い。分野によっては手取り足取り導いてくれる場合もあるが、そうした成長の先にはどこか危うい崖が待っているような気がする。現代社会をタフに長く生き抜くためには自分の学びのスタイルを常に模索することが重要だ。言うまでもなく学びは学校で終わるのではなく、一生かけた営為なのだ。

②仲間・出会いを大切にしよう。先にも述べたように同じテーマを損得抜きで、安全に、時に無責任に話し合える場は大学を卒業すると皆無に等しい。直前に自分の学びのスタイルを模索しようと述べたが、そこに多くの同志が加わることにより、仲間から学ぶこ

とで自分のスタイルはより良きものになっていくに違いない。大学の〈学び〉は誰かと一緒に創るものなのだ。

③学びを阻害するものは、たびたび言及している価値相対主義の魔力だ。他者に関わらないし、関わらせない。「所詮《しょせん》」「面倒くさい」「無駄」「意味がない」というフレーズが、それを口にする人のみならず、周りをも蝕《むしば》んでいく。より豊かで深い人生の意味や価値——ひと言で幸福と言ってもいいかもしれない——を意識しつつ、大学での〈学び〉を探究してもらいたい。

学期の終わりが近づくにつれて、学生の関心は出席が足りているか、単位が取れるかなど、成績のことにフォーカスする。そのような時に私は必ずこう言う——「この大学に受かった時、嬉しかったよね。その時「さぁ、出席をとってもらおう」とか、「大学で単位とるぞぉ」とか思った？　絶対にそんなこと思わなかったはずだ」と。本書を読まれる諸君がこれから大学に入るなら、大学生活に思い描く理想をぜひ大学にぶつけてもらいたい。そして大学に入った諸君は、大学に入る前に思い描いていた理想や、入った直後の不安や焦りを今一度思い出してもらいたい。繰り返しになるが、大学の〈学び〉は教員や大学が提供するものではなく、大学に関わる者が皆で創っていくものだから。

写真提供：東京工業大学

編著者　上田紀行

東京工業大学副学長・教授。文化人類学者。1958年生まれ。東京大学大学院博士課程単位取得退学。岡山大学で博士(医学)取得。1986年よりスリランカで「悪魔祓い」のフィールドワークを行い、その後「癒やし」の観点をもっとも早くから提示し、生きる意味を見失った現代社会への提言を続けている。著書『生きる意味』(岩波新書)、『愛する意味』(光文社新書)、『かけがえのない人間』(講談社現代新書)など多数。

■執筆者

池上　彰

東京工業大学リベラルアーツ研究教育院特命教授。1950年、長野県生まれ。1973年、慶應義塾大学を卒業し、NHKに記者として入局。松江、呉での勤務を経て、東京の報道局社会部。警視庁、気象庁、文部省、宮内庁などを取材。1989年より5年間、首都圏ニュースのキャスター。1994年より2005年まで「週刊こどもニュース」の〝お父さん〟。2005年に独立。現在は名城大学、東京大学、立教大学など9つの大学で教える。

磯﨑憲一郎

東京工業大学科学技術創成研究院未来の人類研究センター・リベラルアーツ研究教育院教授。1965年、千葉県生まれ。早稲田大学商学部卒業。2007年『肝心の子供』で文藝賞、2009年『終の住処』で芥川賞、2011年『赤の他人の瓜二つ』で東急文化村ドゥマゴ文学賞、2013年『往古来今』で泉鏡花賞受賞、2020年『日本蒙昧前史』で谷崎潤一郎賞受賞。他の著作に『眼と太陽』、『世紀の発見』、『電車道』、『鳥獣戯画』、『金太郎飴 磯﨑憲一郎 エッセイ・対談・評論・インタビュー2007―2019』などがある。

伊藤亜紗

東京工業大学科学技術創成研究院未来の人類研究センター・リベラルアーツ研究教育院教授。マサチューセッツ工科大学(MIT)客員研究員。専門は美学、現代アート。もともと生物学者を目指していたが、大学3年次より文転。東京大学大学院人文社会系研究科基礎文化研究美学芸術学専門分野博士課程修了(文学博士)。主な著作に『ヴァレリーの芸術哲学、あるいは身体の解剖』(水声社)、『目の見えない人は世界をどう見ているのか』(光文社)、『目の見えないアスリートの身体論』(潮新書)、『どもる体』(医学書院)、『記憶する体』(春秋社)、『情報環世界』(共著、NTT出版)がある。

木山　ロリンダ

東京工業大学リーダーシップ教育院副学院長・リベラルアーツ研究教育院准教授。文学・文芸を通してトラウマを乗り越える方法に興味を持ち、日本古典文学・文芸と臨床心理学を専門としているカウンセリング心理学者。二つの文化の間で育つ二人の子の母親で、アイデンティティ形成とその流動性、バイリンガル教育、国際結婚も研究の対象とする。日本における特別養子縁組の仲介について博士論文を書いた。

國分功一郎

東京大学大学院総合文化研究科・教養学部教授。1974年、千葉県生まれ。東京大学大学院総合文化研究科博士課程修了。博士(学術)。高崎経済大学、東京工業大学リベラルアーツ研究教育院教授を経て現職。専門は哲学・現代思想。著書に『スピノザの方法』(みすず書房)、『暇と退屈の倫理学』(朝日出版社、第2回紀伊國屋じんぶん大賞受賞　増補新版：太田出版)、『ドゥルーズの哲学原理』(岩波現代全書)、『来るべき民主主義』(幻冬舎新書)、『近代政治哲学』(ちくま新書)、『民主主義を直感するために』(晶文社)、『中動態の世界』(医学書院、第16回小林秀雄賞、第8回紀伊國屋じんぶん大賞受賞)、『いつもそばには本があった。』(共著、講談社選書メチエ)、『スピノザ』(岩波新書)など。

多久和理実

東京工業大学リベラルアーツ研究教育院講師。2010年、東京工業大学理学部物理学科卒業、2010年9月から1年間、ボローニャ大学に交換留学生として留学。2014年9月から1年間、日本学術振興会特別研究員としてガリレオ博物館に滞在。2016年、東京工業大学大学院社会理工学研究科博士課程修了。2019年、学術博士。専門は科学史。物理学を学ぶきっかけはニュートンの光の実験に興味を持ったこと。今後「ヨーロッパ各地の博物館にあるニュートンが使ったと言われるプリズムについて調べたい」。

中島岳志

東京工業大学リベラルアーツ研究教育院教授。1975年、大阪府生まれ。京都大学大学院アジア・アフリカ地域研究研究科博士課程修了。2005年『中村屋のボース』で大佛次郎論壇賞、アジア・太平洋賞大賞を受賞。著書に『秋葉原事件』、『「リベラル保守」宣言』、『血盟団事件』、『親鸞と日本主義』などがある。

中野民夫

東京工業大学名誉教授、ファシリテーター、屋久島本然庵主宰。1957年東京都生まれ。東京大学文学部宗教学科卒。1982年博報堂入社。7年間の営業職を経て休職・留学し、カリフォルニア統合学研究所(CIIS)で組織変革を学ぶ。以後、会社勤めの傍ら、人と人・自然・自分自身をつなぎ直すワークショップを実践。2012年に早期退職、同志社大学教授を経て、2015年秋から東京工業大学の教育改革に加わる。専門はコミュニケーション論。主著に『ワークショップ』、『ファシリテーション革命』、『学び合う場のつくり方』など。

西田亮介

東京工業大学リベラルアーツ研究教育院准教授。専門は社会学。1983年京都府生まれ。博士(政策・メディア)。慶應義塾大学総合政策学部卒業。同大学院政策・メディア研究科修士課程修了。同後期博士課程単位取得退学。同助教(有期・研究奨励II)、立命館大学大学院特別招聘准教授等を経て、2015年9月東京工業大学着任。著書に『メディアと自民党』(角川新書)、『情報武装する政治』(KADOKAWA)など。

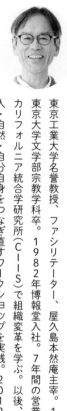

林　直亨

早稲田大学スポーツ科学学術院教授。１９７０年東京都生まれ。専門は応用生理学、健康科学。１９９２年早稲田大学人間科学部卒業。早稲田大学人間科学研究科修士課程修了。１９９９年博士（医学・大阪大学）取得。大阪大学助手、１９９９年から１年間カリフォルニア大学デービス校訪問研究員。九州大学助教授・准教授、東京工業大学教授を経て、２０２１年から現職。主な著書に『学び合い、発信する技術』（岩波ジュニア新書）など。

山崎太郎

東京工業大学科学技術創成研究院未来の人類研究センター・リベラルアーツ研究教育院教授。１９６１年東京都生まれ。東京大学文学部独語独文学科修士課程修了。専門はドイツ文学およびドイツのオペラ。リヒャルト・ワーグナーの楽劇を主な研究対象として、テクスト解読・演出分析・書簡研究など様々な方向からアプローチを重ねている。主な著書に『《ニーベルングの指環》教養講座』（アルテスパブリッシング）、訳書に『ヴァーグナー大事典』（監修・共訳、平凡社）など。

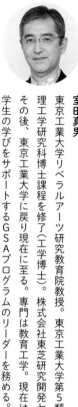

室田真男

東京工業大学リベラルアーツ研究教育院教授。東京工業大学第5類に入学、同大学大学院理工学研究科博士課程を修了(工学博士)。株式会社東芝研究開発センターに6年間勤務。その後、東京工業大学に戻り現在に至る。専門は教育工学。現在は、大学院生が学士課程学生の学びをサポートするGSAプログラムのリーダーを務める。

弓山達也

東京工業大学リベラルアーツ研究教育院教授。1963年奈良県生まれ。法政大学、大正大学大学院で学び、博士(文学)。大正大学教授、エトヴェシュ・ロラーンド大学客員教授などを経て、2015年より現職。専門は宗教学。主な著書は『天啓のゆくえ』(日本地域社会研究所)、『東日本大震災後の宗教とコミュニティ』(共編著、ハーベスト社)、『いのち 教育 スピリチュアリティ』(共編著、大正大学出版会)など。

東京工業大学リベラルアーツ研究教育院(ILA)ウェブサイト https://educ.titech.ac.jp/ila/(全教員のロングインタビューも掲載されています。)

ILAの教員の多くは大学院(社会・人間科学コース)を担当しており、その研究室で修士、博士号を取得できます。

上田紀行

文化人類学者．東京工業大学教授．リベラルアーツ研究教育院長を経て，現在，副学長．1958年生まれ．東京大学大学院博士課程単位取得退学．岡山大学で博士(医学)取得．東工大学内においては，学生による授業評価が全学1200人の教員中1位となり，2004年に「東工大教育賞・最優秀賞」(ベスト・ティーチャー・アワード)を学長より授与された．著書『生きる意味』(岩波新書)は06年全国大学入試において40大学以上で採用され，出題率1位．他に『立て直す力』(中公新書ラクレ)，『スリランカの悪魔祓い』(講談社文庫)など著書多数．

新・大学でなにを学ぶか　　岩波ジュニア新書 912

2020年2月20日　第1刷発行
2024年3月5日　第6刷発行

編著者　上田紀行《うえだのりゆき》

発行者　坂本政謙

発行所　株式会社 岩波書店
〒101-8002 東京都千代田区一ツ橋 2-5-5

案内 03-5210-4000　営業部 03-5210-4111
ジュニア新書編集部 03-5210-4065
https://www.iwanami.co.jp/

印刷・三陽社　カバー・精興社　製本・中永製本

ISBN 978-4-00-500912-1　　Printed in Japan

岩波ジュニア新書の発足に際して

きみたち若い世代は人生の出発点に立っています。きみたちの未来は大きな可能性に満ち、陽春の日のようにひかり輝いています。勉学に体力づくりに、明るくはつらつとした日々を送っていることでしょう。

しかしながら、現代の社会は、また、さまざまな矛盾をはらんでいます。営々として築かれた人類の歴史のなかで、幾千億の先達《せんだつ》たちの英知と努力によって、未知が究明され、人類の進歩がもたらされ、大きく文化として蓄積されてきました。にもかかわらず現代は、核戦争による人類絶滅の危機、貧富の差をはじめとするさまざまな人間的不平等、社会と科学の発展が一方においてもたらした環境の破壊、エネルギーや食糧問題の不安等々、来るべき二十一世紀を前にして、解決を迫られているたくさんの大きな課題がひしめいています。現実の世界はきわめて厳しく、人類の平和と発展のためには、きみたちの新しい英知と真摯《しんし》な努力が切実に必要とされています。

きみたちの前途には、こうした人類の明日の運命が託されています。ですから、たとえば現在の学校で生じているささいな「学力」の差、あるいは家庭環境などによる条件の違いにとらわれて、自分の将来を見限ったりはしないでほしいと思います。個々人の能力とか才能は、いつどこで開花するか計り知れないものがありますし、努力と鍛練の積み重ねの上にこそ切り開かれるものですから、簡単に可能性を放棄したり、容易に「現実」と妥協したりすることのないようにと願っています。

わたしたちは、これから人生を歩むきみたちが、生きることのほんとうの意味を問い、大きく明日をひらくことを心から期待して、ここに新たに岩波ジュニア新書を創刊します。現実に立ち向かうために必要とする知性、豊かな感性と想像力を、きみたちが自らのなかに育てるのに役立ててもらえるよう、すぐれた執筆者による適切な話題を、豊富な写真や挿絵とともに書き下ろしで提供します。若い世代の良き話し相手として、このシリーズを注目してください。わたしたちもまた、きみたちの明日に刮目《かつもく》しています。（一九七九年六月）

918 議会制民主主義の活かし方
―未来を選ぶために
糠塚康江

私達は忘れている。未来は選べるということを。必要なのは議会制民主主義を理解し、使いこなす力を持つこと、と著者は説く。

919 繊細すぎてしんどいあなたへ
HSP相談室
串崎真志

繊細すぎる性格を長所としていかに活かすかをアドバイス。「繊細でよかった!」読後にそう思えてくる一冊。

920 10代から考える生き方選び
竹信三恵子

10代にとって最適な人生の選択とは? 各選択肢が孕むメリットやリスクを俯瞰しながら、生き延びる方法をアドバイスする。

921 一人で思う、二人で語る、みんなで考える
―実践! ロジコミ・メソッド
追手門学院大学成熟社会研究所 編

課題解決に役立つアクティブラーニングの道具箱。多様な意見の中から結論を導くロジカルコミュニケーションの方法を解説。

922 できちゃいました! フツーの学校
富士晴英とゆかいな仲間たち

生徒の自己肯定感を高め、主体的に学ぶ場を作ろう。校長からのメッセージは「失敗OK!」「さあ、やってみよう」

923 こころと身体の心理学
山口真美

金縛り、夢、絶対音感――。様々な事例をもとに第一線の科学者が自身の病とも向き合って解説した、今を生きるための身体論。

930 平安男子の元気な！生活　川村裕子
意外とハードでアクティブだった!? 恋に出世にライバル対決、元祖ビジネスパーソンたちのがんばりを、どうぞご覧あれ☆

931 SDGs時代の国際協力 ―アジアで共に学校をつくる　西村幹子／小野道子／井上儀子
バングラデシュの子どもたちの「学校に行きたい！」を支えて――NGOの取組みから未来をつくるパートナーシップを考える。

932 コミュニケーション力を高める プレゼン・発表術　上坂博亨／大谷孝行／里見安那
パワポスライドの効果的な作り方やスピーチの基本を解説。入試や就活でも役立つ「自己表現」のスキルを身につけよう。

933 確かめてナットク！ 物理の法則　ジョー・ヘルマンス／村岡克紀 訳
ロウソクとLED、どっちが高効率？ 物理学は日常的な疑問にも答えます。公式だけじゃない、物理学の醍醐味を味わおう。

934 深掘り！ 中学数学 ―教科書に書かれていない数学の話　坂間千秋
三角形の内角の和はなぜ180°になる？ なぜ割り算はゼロで割ってはいけない？ なぜマイナス×マイナスはプラスになる？…

935 はじめての哲学　藤田正勝
なぜ生きるのか？ 自分とは何か？ 日常の一歩先にある根源的な問いを、やさしい言葉で解きほぐします。ようこそ、哲学へ。

936 ゲッチョ先生と行く 沖縄自然探検　盛口 満

沖縄島、与那国島、石垣島、西表島、宮古島を中心に、様々な生き物や島の文化を、著名な博物学者がご案内！〔図版多数〕

937 食べものから学ぶ世界史 ―人も自然も壊さない経済とは？　平賀 緑

食べものから「資本主義」を解き明かす！産業革命、戦争…。食べものを「商品」に変えた経済の歴史を紹介。

938 国語をめぐる冒険　渡部泰明・平野多恵・出口智之・田中洋美・仲島ひとみ

世界へ一歩踏み出せば、新しい出会いと成長への機会が待っています。国語を使ってどう生きるか、冒険をモチーフに語ります。

940 俳句のきた道 芭蕉・蕪村・一茶　藤田真一

古典を知れば、俳句がますますおもしろくなる！ 個性ゆたかな三俳人の、名句と人生、俳句の心をたっぷり味わえる一冊。

941 AIの時代を生きる ―未来をデザインする創造力と共感力　美馬のゆり

人とAIの未来はどうあるべきか。「創造力と共感力」をキーワードに、よりよい未来のつくり方を語ります。

942 親を頼らないで生きるヒント ―家族のことで悩んでいるあなたへ　コイケ ジュンコ　NPO法人ブリッジフォースマイル協力

虐待やヤングケアラー…、子どもはどのようにSOSを出せばよいのか。社会的養護のもとで育った当事者たちの声を紹介。

943 数理の窓から世界を読みとく ―素数・AI・生物・宇宙をつなぐ 初田哲男 柴藤亮介 編著

数学を使いさまざまな事象を理論的に解明する方法、数理。若手研究者たちが数理を共通言語に、瑞々しい感性で研究を語る。

944 自分を変えたい ―殻を破るためのヒント 宮武久佳

いつも同じメンバーと同じ話題。親に勧められた大学に進学し、楽勝科目で単位を稼ぐ。ずっとこのままでいいのかなあ?

945 ヨーロッパ史入門 原形から近代への胎動 池上俊一

古代ギリシャ・ローマから、文化的統合体としてのヨーロッパの成立、ルネサンスや宗教改革を経て、一七世紀末までを俯瞰。

946 ヨーロッパ史入門 市民革命から現代へ 池上俊一

近代国家の成立や新しい思想の誕生、二度の大戦、アメリカや中国の台頭。「古い大陸」ヨーロッパがたどった近現代を考察。

947 〈読む〉という冒険 イギリス児童文学の森へ 佐藤和哉

アリス、プーさん、ナルニア……名作たちは、本当は何を語っている?「冒険」する読みかた、体験してみませんか。

948 私たちのサステイナビリティ ―まもり、つくり、次世代につなげる 工藤尚悟

「サステイナビリティ」とは何かを、気鋭の研究者が、若い世代に向けて、具体例を交えわかりやすく解説する。

949 進化の謎をとく発生学 ―恐竜も鳥エンハンサーを使っていたか 田村宏治

進化しているのは形ではなく形作り。キーワードは、「エンハンサー」です。進化発生学をもとに、進化の謎に迫ります。

950 漢字ハカセ、研究者になる 笹原宏之

著名な「漢字博士」の著者が、当て字、国字、異体字など様々な漢字にまつわるエピソードを交えて語った、漢字研究者への成長記。

951 作家たちの17歳 千葉俊二

太宰も、賢治も、芥川も、漱石も、まだ「文豪」じゃなかった――十代のころ、彼らは何に悩み、何を決意していたのか？

952 ひらめき！ 英語迷言教室 ―ジョークのオチを考えよう 右田邦雄

ユーモアあふれる英語迷言やひねりのきいたジョークのオチを考えよう！ 笑いながら英語力がアップする英語トレーニング。

953 大絶滅は、また起きるのか？ 高橋瑞樹

生物たちの大絶滅が進行中？ 過去五度あった大絶滅とは？ 絶滅とはどういうことでなぜ問題なのか、様々な生物を例に解説。

954 いま、この惑星で起きていること 気象予報士の眼に映る世界 森さやか

世界各地で観測される異常気象を気象予報士の立場で解説し、今後を考察する。雑誌『世界』で大好評の連載をまとめた一冊。

955 世界の神話 躍動する女神たち
沖田瑞穂
強い、怖い、ただでは起きない、変わってる⁉ 世界の神話や昔話から、おしとやかなイメージをくつがえす女神たちを紹介！

956 16テーマで知る 鎌倉武士の生活
西田友広
鎌倉武士はどのような人々だったのでしょうか？ 食生活や服装、住居、武芸、恋愛など様々な視点からその姿を描きます。

957 〝正しい〟を疑え！
真山 仁
不安と不信が蔓延する社会において、自分を信じて自分らしく生きるためには何が必要なのか？ 人気作家による特別書下ろし。

958 津田梅子―女子教育を拓く
髙橋裕子
日本の女子教育の道を拓き、シスターフッドを体現した津田梅子の足跡を、最新の研究成果・豊富な資料をもとに解説する。

959 学び合い、発信する技術―アカデミックスキルの基礎
林 直亨
アカデミックスキルはすべての知的活動の基盤。対話、プレゼン、ライティング、リーディングの基礎をやさしく解説します。

960 読解力をきたえる英語名文30
行方昭夫
英語力の基本は「読む力」。先生と生徒の対話形式で、新聞コラムや小説など、とっておきの例文30題の読解と和訳に挑戦！

967 核のごみをどうするか ―もう一つの原発問題

今田高俊
寿楽浩太
中澤高師

原子力発電によって生じる「高レベル放射性廃棄物」をどのように処分すればよいのか。問題解決への道を探る。

968 扉をひらく哲学 ―人生の鍵は古典のなかにある

中島隆博・梶原三恵子
納富信留・吉水千鶴子 編著

親との関係、勉強する意味、本当の自分とは？……人生の疑問に、古今東西の書物をひもといて、11人の古典研究者が答えます。

969 在来植物の多様性がカギになる ―日本らしい自然を守りたい

根本正之

日本らしい自然を守るにはどうしたらいい？　在来植物を保全する方法は？　自身の保全活動をふまえ、今後を展望する。

970 知りたい気持ちに火をつけろ！ ―探究学習は学校図書館におまかせ

木下通子

レポートの資料を探す、データベースで情報検索する……、授業と連携する学校図書館の活用法を紹介します。

971 世界が広がる英文読解

田中健一

英文法は、新しい世界への入り口です。楽しく読む基礎とコツ、教えます。英語力不問、この1冊からはじめよう！

972 都市のくらしと野生動物の未来

高槻成紀

野生動物の本当の姿や生き物同士のつながりを知る機会が減った今。正しく知ることの大切さを、ベテラン生態学者が語ります。

973
ボクの故郷は戦場になった
―樺太の戦争、そしてウクライナへ
重延　浩
1945年8月、ソ連軍が侵攻を開始し、のどかで美しい島は戦場と化した。少年が見た戦争とはどのようなものだったのか。

974
源氏物語入門
高木和子
日本の古典の代表か、色好みの男の恋愛遍歴か。『源氏物語』って、一体何が面白いの？　千年生きる物語の魅力へようこそ。

975
「よく見る人」と「よく聴く人」
―共生のためのコミュニケーション手法
広瀬浩二郎
相良啓子
目が見えない研究者と耳が聞こえない研究者が、互いの違いを越えてわかり合うためコミュニケーションの可能性を考える。

976
平安のステキな！女性作家たち
川村裕子
早川圭子絵
紫式部、清少納言、和泉式部、道綱母、孝標女。作品の執筆背景や作家同士の関係も解説。ハートを感じる！王朝文学入門書。

977
国連で働く
―世界を支える仕事
植木安弘編著
平和構築や開発支援の活動に長く携わってきた10名が、自らの経験をたどりながら国連の仕事について語ります。

978
農はいのちをつなぐ
宇根　豊
生きものの「いのち」と私たちの「いのち」はつながっている。それを支える「農」とは何かを、いのちが集う田んぼで考える。